文史哲學集成

李建中著

# 瓶中審醜

## 金瓶梅「色」之批判

文史哲出版社印行

國立中央圖書館出版品預行編目資料

瓶中審醜 / 李建中著. -- 初版. -- 臺北市：
　文史哲，民８１
　　面；　公分. -- (文史哲學集成；269)
　ISBN 957-547-182-2(平裝)

1. 金瓶梅 - 批評，解釋等

857.48　　　　　　　　　　81006141

㉖⑨ 文史哲學集成

瓶中審醜

著者：李建中
出版者：文史哲出版社
登記證字號：行政院新聞局局版臺業字五三三七號
發行人：彭正雄
發行所：文史哲出版社
印刷者：文史哲出版社
台北市羅斯福路一段七十二巷四號
郵撥〇五一二八八一二彭正雄帳戶
電話：三五一一〇二八

實價新台幣二六〇元

中華民國八十一年十二月初版



ISBN 957-547-182-2

# 序

周偉民

爲自己學生的專著作序，是人生中少有的快意事！

我與建中的師生之緣始於七十年代末，他那時候念大學本科。或許是受老師的影響，建中進校不久便對小說理論產生興趣，先是主編《中外小說寫作技法文獻索引》，考上碩士研究生後，又發表了一些關於中國古典小說（包括《金瓶梅》）之研究的學術論文，並以「筆記小說《世說新語》之研究」作爲碩士論文的選題。碩士畢業後接著攻讀博士，師從著名古文獻學家楊明照教授治漢魏六朝文論，課餘時間，寫成這本《瓶中審醜》，對他近十年來的中國古典小說研究，作了一次學術小結。

《金瓶梅》這部小說，一問世就被扣上「淫書」的帽子。清人張竹坡提出「非淫書論」，認定《金瓶梅》是「以淫戒淫」。張氏之後的三百年間，金學研究的深廣度有了長足進展，但一涉及「性」的問題，要麼是簡單膚淺的否定或肯定（當然是以「討伐式」的「否定」居多），要麼乾脆避而不談。鑒於此，如何走出「肯—否」怪圈，對《金瓶梅》的性描寫，作出實事求是的評價與科學的探討，的確是金學研究的一個新課題。據吉林省社科院《社會科學戰線》雜誌統計，在從一九一九年至一九八八年的七十年間，我國學術界（不含港台）共出版研究《金瓶梅》的專著十九部，但沒有一部是專門研究「性」問題的。近幾年，學術界談《金瓶梅》之「性」，論文時有所見，專著仍告闕如。因此，建中的這部專著，在金學研究領域有開創之功、拓荒之勞。

瓶中審醜，既需要學術膽識，更需要理論功底。將學界諱莫如深的《金瓶梅》之「色」，確定爲研究對象，顯示出作者過人的膽識；多角度多側面的布局，立體交叉式的建構，嚴謹細密而又流暢詼諧的理論闡述，又充分展示出論者的才力。四百年來，對《金瓶梅》的性描寫或毀或譽，多半是站在倫理道德的角度。視點的呆板與價値取向的單一，導致金學研究在理論上缺少突破性進展。建中的這部書，從社會學、心理學、審美學的不同角度觀照，並透視《金瓶梅》之「色」，別開生面，令人耳目一新。多角度觀照與多元價値取向，挖掘出《金瓶梅》的「性學」內蘊：作爲歷史研究的「化石」意義，以及對當代性生活的「警世」作用。

《金瓶梅》寫的是「醜」，用張竹坡的話說，「作者深罪西門，見得如此狗彘……」（《金瓶梅讀法之五十一》）。建中以當代學者的才膽識力，於「醜」之中見到「美」，第九章「美醜論」有「醜就在美的旁邊」一節，可謂全書的畫龍點睛之筆，也算是對金學研究的一大理論貢獻。盧那察爾斯基曾經讚揚柴科夫斯基用音樂作品表現「生活禍患」，是「通過昇華去同它作鬥爭，即是在美學上戰勝它，從而把這個夢魘化爲藝術珍品。」（《盧那察爾斯基論文學》，人民文學出版社一九七八年版，第二四三頁）《金瓶梅》是如何「在美學上戰勝」醜惡的呢？建中將其歸納爲：對性生活的悲劇性再現，對性心理的裂變式剖析，對性行爲的譴責型描繪。這些，大體上屬於小說「內容」方面的美學價值。其實，《金瓶梅》的諸多形式要素（如篇章結構、情節發展、人物語言等等），也是有較高美學價值的，以「美文」寫「醜事」，同樣是在美學上戰勝醜。我在《明清小說理論批評史》一書中，談到《金瓶梅》的情節安排，「伏線」與「流波」結合，使人物、事件穿插合宜，花團錦簇，五色迷人。總之，「醜在美的旁邊」，似有多重含義。在這一點上，建中未展開來論述，使人頗感遺憾。此外，建中試圖以馬克思主義的性觀念，指導書中的理論闡述，願望是好的，但個別地方引用馬恩語錄略顯生硬，亦為一憾。

建中問學勤奮，又有才氣。楊明照先生對弟子的要求是極嚴格的，讀了建中的文章後，也情不自禁地誇獎他「文筆好」。這幾年，建中小有坎坷，但問學之志彌篤。聽說他今年有三部專著（包括二十三萬字的博士論文《漢魏六朝文藝心理學》）問世，可喜可賀！在「商品經濟」大潮的衝擊下，不少中青年學者已無心問學，勉強做一點學問，也是為稻粱謀，為職稱計。建中十年如一日，青燈苦讀，潛心學問，頗有為學術而獻身的「虔誠」與「痴迷」。多一些這樣的耕耘者，中國的學術事業才不會後繼乏人。

是為序。

一九九二年五月九日於海南大學文學院

內子唐玲玲赴臺參加淡江大學主持的學術研討會前夕

# 瓶中審醜目次

# 緒論：金瓶梅，中國古代性學教科書

《金瓶梅》歷來被視爲「淫書」，即便是那些爲她唱頌歌的論者，也必得在「但是」之後譴責一下她的性描寫，並且聲稱「穢褻的描寫」並不影響「《金瓶梅》的重要」①。如果我們換一個角度，亦即不以倫理道德的眼光，而以性學研究的態度，重新審視《金瓶梅》，情形或許會不大一樣。

吳晗先生早在三十年代就指出：《金瓶梅》「作者敢於對性生活作無忌憚的大膽敍述，便使社會上一般假道學先生感覺到逼脅而予以擯斥」②。在我們今天看來，「逼脅」之感大可不必，「擯斥」之法更不可取，明智而又有意義的選擇應該是：對《金瓶梅》的「色」（亦即「性描寫」），作實事求是的科學批判。

讀者諸君切莫誤會了「批判」二字：不是「文革」中慣用的那種「攻訐譴責型」的「批判」，而是類似於康德《判斷力批判》的那種「科學分析型」的「批判」。作爲科學分析的第一步，是要弄清《金瓶梅》中「性描寫」與「穢褻的描寫」之間的區別，雖然前者可能包含後者，但二者並不能等同。所謂「性描寫」應該是指一切與「性」相關的文字：性關係、性現象、性風俗、性心理、性行爲，等等。比如第七回，按書中情節發展，西門慶本該娶潘金蓮爲妾了，但他突然決定先娶富孀孟玉樓，而將金蓮冷在一邊，這表明西門慶在處理性關係時，把「財」看得比「色」更重；又如第二十一回，寫吳月娘吃齋拜佛，求神保祐她「早見嗣息」，此舉的心理根源，便是她以「傳宗接代」爲目的的性心理；再如第六十三回，寫瓶兒死後，西門慶完整地保存著瓶兒的居室及其傢俱物什，其性心理中既有「戀其物」的變態成份，又有「戀其人」的常態因素。上述諸例，都算得上「性描寫」，但顯然不是淫穢色情的。所謂「穢褻的描寫」，當指那些關於性交接過程的文字，如二十七回「潘金蓮醉鬧葡萄架」，五十九回「西門慶露陽驚愛月」。前者的「懸股淫亂」是性虐待之一種，後者的「裸露癖」亦爲性的歧變或倒錯，二者均屬於性變態之「病例」。盡管以倫理的或藝術的眼光看，上述兩處性描寫是淫蕩醜陋的，然而在性變態研究的領域內，它們又有著某種程度的「臨床意義」或參考價值。

《金瓶梅》的性描寫，幾乎涉獵了人類性生活的所有方面；性科學研究（亦即人類性生活和性觀念之研究）的所有分支領域，幾乎都可以從《金瓶梅》的性描寫中，找到它們各自所需要的事實的或思想的資料。可以毫不誇張地說：《金瓶梅》是中國古代第一部（甚至是唯一的一部）性學教科書！法國大百科全書稱《金瓶梅》，「全書將西門慶的好色行爲與整個社會歷史聯繫在一起」③，《金瓶梅》在廣闊的歷史背景下，從社會生活的各個層面和角度，以栩栩如生的人物形象，對中國古代的性生活作了藝術的再現和總結，爲我們今天的性科學研究，提供了不可多得的材料和啓示，成爲中國性學研究的一大寶庫。遺憾的是，在這座寶庫中還很少見到探索者的足迹：海峽兩岸，至今還未有關於

《金瓶梅》性學研究的專著問世。因此，無論是從學術領域的開拓，還是從學術觀點的提出來看，這本小冊子都算得上是「塡補空白」。

毋庸諱言，一部《金瓶梅》，寫了許許多多的「醜惡」：關於社會生活，關於生活中的人，關於人的「好色」……瓶中審醜，我們從作品對「醜」的眞實描寫中，可以窺到作者的「爲文之用心」，並透過「文心」，去探索與「色」相關的無窮奧秘。優秀的文藝作品，不僅具有審美學的價值，還具有社會學和心理學的價值。《金瓶梅》，作爲一部不朽的古典文學名著，是對十六世紀末期中國社會生活(包括性生活)的藝術再現，具有較高的社會學、心理學和審美學意義——這些，既體現出《金瓶梅》的藝術價值，又顯示出她的性科學價值：正是在《金瓶梅》的創作用心、性格塑造、藝術結構乃至對社會生活的反映之中，我們看到了《金瓶梅》性科學的三個主要側面：社會學、心理學和審美學。在《金瓶梅》之中，其藝術價值與性學價值不僅是異質同構，而且相得益彰。作爲文學名著，《金瓶梅》的藝術價值中包含著性學價值；作爲「性學教科書」，《金瓶梅》的性學價值又以其藝術價值爲基礎，或者說，以藝術的方式顯現出來。正是因爲這些內在聯繫，我們才有可能更有必要對《金瓶梅》這部文學作品進行性科學的研究。

前面談到「不以倫理道德的眼光」看《金瓶梅》，只是說要選擇新的研究角度；而「角度」一旦選定，其價值取向就應該是多元的：既有美學的藝術的標準，也有生理的心理的尺度，還有倫理的道德的準繩。同時，方法的應用，也是多元的：既有美學的方法，也有心理學、社會學的方法。本書「

三編」實爲「一體」:從社會學、心理學和審美學三個不同層面，批判《金瓶梅》之「色」，揭示《金瓶梅》性學內涵及其對於當今性生活的啓迪意義。從純學術的角度論，希望本書的探討，既有助於「性」學的學科建設和理論研究，又有助於拓寬「金學」研究的領域;從文學鑑賞的角度論，也希望這本小冊子，能爲《金瓶梅》的廣大讀者重新理解這部不朽古典名著的社會學、心理學和美學價值，提供一個嶄新的角度。

【附　註】

① 見胡文彬等選編《論金瓶梅》第五〇頁、一一頁，文化藝術出版社，一九八四年版。
② 同註①，第一一頁。
③ 轉引自胡文彬等編《論金瓶梅》第四五〇頁。

# 上編　金瓶梅「色」之社會學批判

## 引　言

一八三八年，法國實證主義哲學家孔德提出「社會學」（法文Sociologie）這一名稱，至今已有一百五十多個年頭。社會學發展到今天，業已充分地展示出她的學科價值、涵括力、兼容性以及對於人類生活的理論和實踐意義。鳥瞰社會學的發展史，可以看到，社會生活的每一個方面，都可以成為社會學的研究對象：政治、經濟、宗教、民族、勞動、人口……；社會學家從不同的角度研究社會學，便形成不同的學派：生物學派、地理學派、心理學派、社會功能學派……

性生活，是人類社會生活的一個重要方面——這已是常識問題。歷史唯物主義以為：社會發展的動因，是生產力、生產關係的發展變革及其二者的相互矛盾和運動。人類個體的性本能是生產力的兩大生物學基礎（性欲、食欲）之一；性的正常交往（愛情、婚姻）和異常交往（通奸、賣淫），又是與生產關係密切相關的。而且，在人類不同的歷史發展階段，由於性生活和性的社會組織形式（如婚姻制度）的差異，人們的性觀念亦隨之發生變化；這種變化著的性觀念，反過來，對人類性生活乃至人類社會的各個方面均產生巨大的影響。

社會學既然以人類社會生活及其發展為研究對象，以揭示各種社會形態的結構、發展過程和規律為研究目的；那麼「性」（人類性生活及其由此而產生的性觀念或性意識），理所當然應成為「社會學」大家族中的一員；從「性」的角度研究社會學，也理所當然應成為社會學研究中的「性學學派」。

本書緒論已經指出，《金瓶梅》這部古代中國的性學教科書，以藝術的方式，為我們今天的性學研究，提供了豐富的材料。《金瓶梅》首先是一部小說，這是我們研究《金瓶梅》性社會學必須面對的事實。

按照藝術創造的客觀規律，文學藝術家創作一部作品，總是有意無意地想表明他對於社會、人生，乃至哲學、倫理、政治等問題的基本看法，這些「看法」的藝術總和一般被稱為「創作意圖」；創作意圖的實現，在敍事文學中，主要靠人物塑造來完成，而人物塑造的一個重要手段，則是對人際關係以及處於「關係」之中的人物的言行、性格的描寫；人物塑造的完成，從根本上說，有賴於對人物行為動機或內在目的的揭示，亦即於哲學層次展示人物的性格特徵。

《金瓶梅》，作為一部文學名著，出色地體現出上述藝術規律。本編的理論探討，與研究對象的藝術創造規律大體「同步」：首先，從小說的創作意圖入手，剖析作者創作意圖（亦即「德」與「色」）的深刻矛盾，揭示這一矛盾的社會倫理內涵；其次，具體分析《金瓶梅》人物關係的一個重要內容（亦即「財色」關係），從而探討《金瓶梅》所描寫的性生活及其性觀念的經濟因素及其對性意識的反作用；最後，從人物行為動機和目的的角度，討論《金瓶梅》人物的性目的及其性目的之中的社會倫理和社會經濟的內涵。

這一理論邏輯，不僅與《金瓶梅》的創作規律基本同步，而且與性社會學本身的理論系統也是大致同構的，只不過，後一種「同構」是「逆向運動」。

我們知道，人類的經濟生活，有「生產」與「消費」的兩面，而人類的性生活也有「生育」與「享樂」的兩面，這就是性的「目的論」；性生活無疑受經濟生活的制約和影響，人類的戀愛、婚姻以及各種性的活動和社會形式都有著其經濟的基礎，於是形成性學的「財色論」；人類究竟應持何種性目的，如何處理性與經濟的關係，乃至如何規範性的行為，以至於適應各個社會階段不同的生產關係，這就需要性的倫理學亦即「德色論」。

作為「逆向」運動，我們從「德色論」談起。在完成對《金瓶梅》性之倫理和經濟特徵的考察之後，我們將上升到哲學的層次來討論《金瓶梅》性的實質。整個理論思考既是在社會學的領域內進行，又是採用社會學的眼光和方法。

# 第一章　德色論

## 1.「無非明人倫戒淫奔」

明萬曆刻本《金瓶梅詞話》，卷首有欣欣子序，稱「吾友笑笑生……著斯傳，凡一百回，其中語句新奇，膾炙人口，無非明人倫，戒淫奔，分淑慝，化善惡，知盛衰消長之機，取報應輪迴之事……使觀者庶幾可以一哂而忘憂也。」有學者以爲「欣欣子」與「笑笑生」這兩個命名極其相類，故前者可能是《金瓶梅詞話》作者的另一化名①。倘若此論成立，則可視欣欣子序爲作者自序。

「自序」也好，「他序」也罷，古往今來，《金瓶梅》形形色色的「序」和「跋」，都忘不了爲這部「淫書」唱幾句「戒淫崇德」的頌歌，忘不了爲作者說幾句「好理惡色」的恭維話。東吳弄珠客的「序」說「作者亦自有意，蓋爲世戒，非爲世勸也」②；廿公的「跋」也稱《金瓶梅傳》「中間處處埋伏因果，作者亦大慈悲矣」③。而爲《金瓶梅》唱「道德贊歌」的，還要數張氏竹坡熱情最盛嗓門最高：又是「苦孝說」，又是「寓意說」，又是「第一奇書非淫書論」，硬是要「將一部奸夫淫婦，悉批作草木幻影；一部淫情艷語，悉批作起伏奇文」④，更有甚者，張氏發誓要在「我的金瓶梅上洗淫亂而存孝悌，變帳簿以作文章，直使金瓶一書，冰消瓦解」⑤。

畢竟，白紙黑字的「淫亂」是洗不掉的，張氏亦無計使「金瓶一書冰消瓦解」，《金瓶梅》數十處淫亂穢褻的描寫雖「不堪入目」卻偏偏「有目共睹」。就作品的「社會效果」而言，《金瓶梅》確有「宣淫好色」之罪，將她列爲「禁書」，且數百年如一日地打入「特藏書庫」也並不爲「過份」。

如此說來，一部《金瓶梅》只有「色」而沒有「德」了？《金瓶梅》序跋作者們「崇德戒色」之頌詞全是胡說八道了？

《金瓶梅》第一回開章明義，不無嚴肅地指出：「酒色財氣四件中，惟有財色二者更爲利害」⑥，並作有「色箴」：所謂「二八佳人體似酥，腰間仗劍斬愚夫。雖然不見人頭落，暗裏教君骨髓枯」，足見「色」是殺人不見血的軟刀子（這首「色箴」在七十九回中再次出現）。「好色」者或因淫逸過度而暴亡（如西門慶、龐春梅），或因好色無德而被戮（如潘金蓮、陳敬濟）。寫到西門慶「淫喪」時，作者有一番議論：

> 看官聽說，一己精神有限，天下色欲無窮。又曰：嗜欲深者，其生機淺。西門慶只知貪淫樂色，不知油枯燈滅，髓竭人亡。（七十九回）

此段「道德教育」，觸景生情、聯繫實際、語重心長、發人深省。爲了嚴懲「好色」的西門慶，作者讓他死後托生孝哥兒，受「項帶沉枷、腰繫鐵索」之苦（一百回）。而結局最「慘」的還要數潘金蓮，不僅被武二郎砍頭剜心（八十七回），而且其尸體「暴露日久，風吹雨灑，鷄犬作踐，無人領埋」（八十八回）。天下「好色」者，見此等「惡報」，誰敢不汗顏？不心悸？

西門慶死後，孟玉樓改嫁，衆街坊說好說歹，且聽「說歹的」：

當初這廝在日，專一違天害理，貪財好色，奸騙人家妻女。今日死了，老婆帶的東西，嫁人的嫁人，拐帶的拐帶，養漢的養漢，做賊的做賊，都野鷄毛兒零撏了。常言三十年遠報，而今眼下就報了。（九十一回）

眉評曰：「此一段是作書大意」。不必作多餘的說明，《金瓶梅》作者「惡色」、「戒色」，以「好色」者的「可恥下場」來「警世」、「醒世」的一片苦心，昭然可見。

不要以爲《金瓶梅》中只有「反面人物」。「誰謂一片淫欲世界中，天命民懿，爲盡滅絕也哉？」⑦不僅有孝子李安、義士王杏菴、義僕安童，更有「從一而終」的吳月娘，「之死矢靡它」的韓愛姐，「盡忠報國」的周守備……這些「有德」之人，大多得了「善報」：吳月娘活了七十多歲（在《金瓶梅》衆多女性中算是「長壽之最」了）；周守備雖然只活了四十七歲，但他是爲朝廷捐軀，雖死猶存。第一百回有一首「終卷詩」，道這「善惡報應」，甚是分明：

閑閱遺書思惘然，誰知天道有循環。
西門豪横難存嗣，敬濟顛狂定被殲。
樓月善良終有壽，瓶梅淫佚早歸泉。

可怪金蓮遭惡報，遺臭千年作話傳。

以「德色」劃線，好德者爲「善」，好色者爲「惡」，作者愛憎分明，故褒貶有別，報應各異。回過頭來，再讀讀欣欣子的序，即便版本學家有足夠的證據，否認「欣欣子爲笑笑生的化名」，我們却無法否認「明人倫，戒淫奔，分淑慝，化善惡」是《金瓶梅》作者的創作意圖（至少是其「意圖」的重要方面）。因此，倘若說《金瓶梅》序跋作者們的贊詞完全有悖於作品實際，則不僅寃枉了張竹坡們，而且寃枉了至今還「隱姓埋名」的《金瓶梅》的作者。

以「色箴」開篇，以「天道循環，善惡報應」的「倫理詩」收場，《金瓶梅》作者「明人倫戒淫奔」的創作意圖可謂貫穿始終；給予「好德者」和「好色者」以迥然相異的結局和涇渭分明的褒貶，作者又將其創作意圖具體落實到人物形象的塑造之中；或借書中人物之口，或乾脆自己親自出面，對作品的正、反面形象「說好說歹」，進行道德評價，作者又有意無意地强調了他的創作意圖；即使在描寫了那「不堪入目」的性交情景之後，作者也忘不了用一段「順口溜」譴責性交者的「好色」和「淫佚」；同理，每逢寫到「正面形象」的光彩言行時，更忘不了贊揚他們的「有德」和「好理」。

以封建倫理道德的眼光看，德與色是水火不容的。從孔夫子的「戒之在色」到朱熹的「存天理滅人欲」，「戒色」、「滅欲」是傳統道德的一貫準則，順此者昌，逆此者亡，故高叫「好色」的李贄被視爲異端且死於非命。而《金瓶梅》的「德色觀」，基本上（至少就作者的創作意圖論），是大致符合封建倫理觀念的。之所以講「大致」，是考慮到如下事實：作者的主觀意圖與作品的客觀效果有矛盾，甚至作者創作意圖本身也有矛盾（詳後）。

色，就其字面意義，指女色，中國歷來有「食色，性也」的說法，可見「色」與「食」一樣，是不可少的。道理很簡單：無「食」，個體的人無法生存；無「色」，整體的人無法延續。更進一步說，「食」與「色」作爲人的兩大生理欲望，究竟是難以抑制也是不應抑制的，何況「色」這一欲望有時還含有情感的成份——這是在性社會學的範圍討論「色」。換一個領域，比如說用倫理學的目光來看，所謂「色」就含有貶意，而「好色」則就與「惡」相去不遠了：不管是男性好女色，還是女性好男色，都要被視爲品行不端而加以譴責。正是在此意義上，「色」才成爲「德」的「反義詞」或「對立面」。

那麼，何謂「好色」？結合《金瓶梅》的實際來看，「好色」，不僅指毫無廉恥地通奸、亂倫、嫖妓，而且也指丈夫與妻妾之間毫無節制地放縱情欲，甚至還指夫妻間過份的不合理儀的親暱（比如，二十一回寫西門慶「抱住月娘」，「燈前看她的花容月貌」，眉評稱之爲「好色」）。而與之相對的「有德」，則理所當然是在性問題上的節欲甚至禁欲。

《金瓶梅》中的「德」並不僅指與「好色」相對立的「禁欲」，還包括：「孝」（如玳安身爲養子還能爲月娘守孝），「忠」（如周秀戰死沙場，爲國捐軀），「節」（如韓愛姐爲陳敬濟守寡），「義」（王杏菴與陳敬濟素昧平生卻義恤貧兒，救陳於危難之中），等等。正統綱常禮教的「德」之種種，在《金瓶梅》中應有盡有，誰說《金瓶梅》只有「色」而無「德」？

## 2.「俺每眞材實料不浪」

在西門慶的衆妻妾中，恐怕數潘金蓮最爲「好色」，想方設法將西門慶往她屋裏拉。對此，吳月娘頗爲不滿，總算找了個機會與金蓮大吵了一場。月娘指責金蓮不該獨占西門慶，說是「沒廉恥趁漢精便浪；俺每眞材實料不浪。」金蓮反擊：「你是眞材實料的，誰敢辨別你？」月娘回敬：「我不眞材實料，我敢在這屋裏養下漢來？」這場「妻妾大戰，最後以金蓮認輸，向月娘磕頭道歉而告終（七十五回）。

並不是月娘自吹，若以正統之「德」來衡量，月娘確不愧爲「眞材實料」。她是西門慶的「第一夫人」，在嫁給西門慶之前，歷史清白，並無性生活方面的污點（僅此一點，西門慶的幾位妾就不敢與她相比）。雖然西門慶很少到她房中履行丈夫的職責，但她並無半點怨言。月娘堅持每月吃齋三次，逢七焚香禱告，求佛保祐丈夫平安，保祐她爲丈夫生個兒子以續西門家的香火（二十一回）。當然，她也不滿於西門慶的放縱情欲，多次苦口婆心地勸他戒淫，勸他不要上妓院。無奈西門慶「冰凍三尺」，積習難改，月娘也只好聽之任之。但對違禮悖德的女性，月娘絕不講客氣。花子虛死後，瓶兒孝期未滿便要嫁人，孟玉樓說「使不得」，月娘道：「如今年程，論的什麼使得使不得。漢子孝期未滿浪著嫁人的，才一個兒？淫婦成日和漢子酒裏眠酒裏臥底人，她原守的什麼貞節？」一席話，說得玉樓金蓮慚愧萬分無地自容（十八回）。

月娘處處嚴守婦道，爲衆妾作出「正經夫妻」的楷模。西門慶死後，她更是鐵心守寡，不僅義正辭嚴地拒絕了家人來保的勾引（八十一回），而且勇敢無畏地反抗高太守妻弟殷天錫的逼勒（八十四回）。月娘掌管西門家的家政大權後，立即採取了一系列斷然措施：大罵並趕走了前來爲西門慶弔喪的王六兒，稱王六兒「把人家弄得家破人亡、父南子北、夫逃妻散」（八十回）；燒瓶兒靈床，鎖瓶兒舊居，遣瓶兒丫環，一舉毀滅了西門慶在瓶兒死後所保留的「瓶兒世界」（八十回）；爲防止陳敬濟與金蓮私通，把陳趕到鋪子裏睡覺，並派心腹玳安監視（八十三回）；後來乾脆將敬濟夫婦和金蓮都趕出西門大宅（八十六回）；將家中各處門戶上鎖，丫環婦女無事不許外出，凡事都要嚴緊（八十三回）；春梅因爲給敬濟和金蓮做牽頭，也被月娘十六兩銀子賣了出去（八十五回）……

月娘的種種「正義之舉」，究竟出於何種目的？宣德乎？戒色乎？還是聽聽她自己怎麼說的。在識破金蓮與敬濟的奸情後，她怒斥金蓮：

女兒無性，爛如麻糖。其身正，不令而行；其身不正，雖令不行。……你要自家立志，替漢子爭氣，像我進香去，被強人逼勒，若是不正氣的，也來不到家了。（八十五回）

月娘究竟是個坦率人，合盤端出她的思想根子：「替漢子爭氣！」她的「不浪」，她的「貞節」，她的「戒色崇德」，說到底，都是爲了「替漢子爭氣」！雖然「漢子」自己並不怎麼「爭氣」，但畢竟是她的「漢子」啊！《白虎通・嫁娶》說：「夫有惡行妻不得去者，地無去天之義也。……悖逆人倫，殺妻父母，廢絕綱紀，亂之大者，義絕，乃得去也。」⑧丈夫不壞到殺害岳父母的田地，妻子是不能離他而去的。吳月娘是千戶的女兒，大家閨秀，這些綱常倫理她一定是知道的，所以她才能把儒家禮教的外在要求，化為她為人處世的內在行動。西門慶在世時，她忍辱負重、顧全大局，千方百計維護「漢子」在家庭裏的統治地位；西門慶死後，她清心寡欲，為人示範，嘔心瀝血地為「不爭氣」的「漢子」爭氣。就這樣，吳月娘數十年如一日，將自己錘煉成完全符合正統禮教的「眞材實料」。

「夫為妻綱」是儒家禮教的重要內容之一，它維護的是丈夫在家庭裏的絕對統治地位。考察人類婚姻的發展歷史，我們看到：以「一夫一妻」為主要形式（同時也包括「一夫多妻」和「一妻多夫」）的個體婚制，實際上是「隨著母權制的覆滅而迅速發展起來的」⑨。正如恩格斯《家庭、私有制和國家的起源》所指出：「母權制的被推翻，是女性的具有世界歷史意義的失敗。丈夫在家中也掌握了權柄，而妻子則被貶低，被奴役，變成丈夫淫欲的奴隸，變成生孩子的簡單工具了。」⑩而具有中國特色的「夫為妻綱」，正是以一種無上的權威和法典的形式，强調了「女性的失敗」及其奴隸地位，强調了「丈夫的權柄」和奴隸主地位。家庭，是構成國家的最小單位。一個家庭的「夫為妻綱」，也就是一個國家「君為臣綱」的基礎。從根本上說，强調丈夫在家庭的統治地位，正是為了强調君主在國家的統治地位；維護「夫權」，也正是為了維護「君權」。封建社會幾千年，歷代統治者津津樂道於「三綱」、「五常」，其原因正在於此。

正如「君權」是以犧牲全體臣民的自由為代價；而「夫權」則是以犧牲妻（妾）的自由為代價。

吳月娘身爲「第一夫人」，她却沒有與丈夫過正常性生活的自由；丈夫如此的荒淫無德，她却沒有與丈夫離異的自由；丈夫暴死之時，她才三十出頭，却沒有再嫁的自由……

當然，上述「自由」云云，是我們站在今天的角度來「替古人擔憂」。事實上，「眞材實料」的吳月娘，或許根本就不需要（甚至根本就不知道），那原本是屬於她的種種「自由」。她只知道自己是「正式的妻子」，要「容忍這一切」，要「嚴格保持貞操和夫妻的忠誠」⑪，一句話，要「替漢子爭氣」！她說到做到，在頗爲艱難困苦的情況下，爲「漢子」守了近半個世紀的寡，直到生命的盡頭。她對「自由」的犧牲，完全出於自覺自願，而且自認爲無上榮光。毫無疑問，以儒家綱常倫理而論，她不僅是「有德」，簡直就是「德」之楷模，「德」之典範！然而，這種「有德」對於一個封建社會的女性來說，是可敬？可取？抑或可悲？

在個體婚制中，丈夫的統治地位，還表現在：所謂一夫一妻制，「只是對婦女而不是對男子的一夫一妻制」⑫。封建社會，有權或有錢的男子，儘可以或公開或隱蔽地實行事實上的「多妻制」，因爲「多妻制是富人和顯貴人物的特權」⑬。男子的「多妻制」，其公開方式是納妾，隱蔽方式則是占姘頭（西方叫找情人），西門慶是兩種方式兼而用之。西門之家，對於西門慶來說，是「一夫多妻」；而對月娘來說，則是「一夫一妻」。作爲「正經夫妻」，作爲「首席夫人」，月娘一方面要維護丈夫的統治地位，同時也要建立起她自己作爲「妻」的權威，而這二者又是相得益彰互爲因果的。她一身而兼二任：對於丈夫來說，她是奴隸；對於衆妾和衆僕來說，她又是奴隸主，是「婢女的頭領」⑭

。她譏諷瓶兒、大罵金蓮，以至後來燒瓶兒靈床、將金蓮掃地出門，究其心理根源，都是為了建立並鞏固她「頭領」的地位；她在性生活上的自制，在宗教信仰上的虔誠，又使得她在眾人眼中成為一個有好德行的頭領。張竹坡稱月娘是「奸險好人」⑮，眞可謂維妙維肖，入木三分。

《金瓶梅》的作者處處將「有德」的月娘與「無德」的妾、婢相比較。如七十二回寫完金蓮與西門的淫蕩之舉後，作者又發感慨：

看官聽說，大抵妾婦之道，蠱惑其夫，無所不至，雖屈身忍辱，殆不為恥；若正室之妻，光明正大，豈肯為此？

「妾婦之道」是「好色」之道，「正室之妻」乃「有德」之妻，德色迥別，黑白分明。若「妾婦」敢與「正妻」分庭抗禮，則必然被「正妻」打個落花流水：七十六回，金蓮被月娘大罵之後，還得磕頭賠罪：

娘是個天，俺每是個地，娘容了俺每，骨禿扠著心裏。

夫妻之間，夫是天，妻是地；妻妾之間，妻是天，妾是地。如此說來，在「夫為妻綱」之後，還應加上一個「妻為妾綱」（無怪乎竹坡云「然月娘則以大綱故寫之」⑯）。月娘不僅嚐到自覺當「奴隸」的甜頭，更嚐到主動當「頭領」的甜頭——這便是「有德」的好處。

## 3.「畢竟德不勝色，可嘆可嘆」

某日，西門慶上妓院，發現他的老相好李桂姐又有了新交，於是醋意大作，「爭鋒毀花院」（二十回）。垂頭喪氣回到家中，却見茫茫大雪中，吳月娘正拜斗焚香：「祈祐夫早早回心，不拘妾等六人之中早見嗣息」。此情此景，使西門慶滿心慚愧，萬分感動，心想「到底還是正經夫妻」。激動之中，他跑過去，「抱住月娘，拖進房來，燈前看她的花容月貌，如何不愛！」（二十一回）對這段描寫，有如下眉評：

此正好德時，忽又插入好色；畢竟德不勝色，可嘆可嘆！

自己成天在外面鬼混，而妻子却在家中爲自己禱告，如此有德之妻，怎能不使西門感動？他突然良心發現，「好」起「德」來。然而，「好德」的「良好願望」，却偏偏用「好色」的具體行動來表達，無怪乎眉評者要哀嘆「德不勝色」了。

對西門慶來說，似乎不僅僅是「德不勝色」，他簡直就沒有什麼「德」，因此也沒有什麼「德」與「色」的矛盾。月娘則不一樣，她畢竟是有德之人。那次雪中拜斗，西門把她抱住，並要與她同房，她開始想拒絕，但還是遂了丈夫之意。雖說是「德」被「色」打敗了，但那對月娘，畢竟是一次例外，更何況，那次同房多半是爲「續嗣」，並無多少「色」的目的。於此，我們又若隱若現地看到《金瓶梅》作者「明人倫，戒淫奔」的創作意圖。

那麼，如何看待眉評所言之「德不勝色」？

恩格斯《家庭、私有制和國家的起源》曾指出：在人類婚姻史的研究中，「傳統的觀念只知道有個體婚制，……同時，正如滿口仁義道德的庸人所應當做的那樣，卻把實踐偷偷地但卻毫不羞澀地逾越官方社會所定的界限這一事實完全隱瞞不說。」⑰，恩格斯對婚姻史研究中之「傳統觀念」的不無諷刺的描述，對我們探討《金瓶梅》的「德色論」，頗有啓發。

《金瓶梅》作者在書中多次公開地表白他「崇德戒色」的創作意圖，而這一意圖與儒家禮教所劃定的倫理界限是完全一致的。但是，《金瓶梅》作者在「實踐」中，亦即在具體的人物刻劃、情節敍述和細節描寫中，卻不止一次地，「偷偷地但卻毫不羞澀地逾越」他自己（也是「傳統觀念」）「所定的界限」。幸好，《金瓶梅》的眉評者不是那種「滿口仁義道德的庸人」，他看到，並毫不隱諱地道出上述事實：「畢竟德不勝色，可嘆可嘆！」

「德不勝色」揭示了《金瓶梅》在「德色論」上的深刻矛盾。衆所周知，一本《金瓶梅》既寫了「色」，也寫了「德」，作者的本意是以德戒色，以德勝色（亦即「明人倫戒淫奔」）。他的「自序」、「色箴」、「終卷詩」以及數不清的「有詩爲證」、「看官聽說」等等，都旗幟鮮明地表明了上述意圖。然而，評論一部作品，當然不能只看作者的「自我表白」，更要看作品本身的「社會效果」：《金瓶梅》問世近四百年，一直戴著「穢書」、「淫書」的帽子，即便是反對「穢書說」的人，也不得不承認「如果除淨了一切的穢褻的章節，它仍不失爲一部第一流的小說」⑱。四百年來，星移斗轉，改朝換代，但《金瓶梅》一如既往地被列爲「禁書」，其間雖有種種複雜的原因，但最基本的一條，仍是她在社會效果上的「德不勝色」。

這種德與色的矛盾，概言之，是作者創作意圖與作品社會效果相去甚遠；具體而論，情況又頗爲複雜。前面說過，使我們明顯地感知作者「崇德戒色」之意圖的，是作品中的那些「有詩爲證」、「看官聽說」之類的文字（當今稱之爲「議論」）。「議論」固然是冠冕堂皇的，但與之相對的「描寫」却大成問題。常常是一大節「色」的描寫之後，跟上一小段「德」的議論，篇幅長短的懸殊倒是其次，問題是：那些細膩而生動、熱情且傳神的「描寫」，繪聲繪色，引人入勝；而那些「議論」呢，雖說是振振有詞，鏗鏘有力，但究竟有些枯燥無味、寡情乏采。而何況，讀者讀的是小說而非經書，感興趣的是情節而非說教，故對那些議論，要麼是一目十行，要麼乾脆視而不見。套用一句「名言」：說教式的議論是「灰色」的，而情節之描寫「常青」。議論之「德」如何敵得過描寫之「色」？

作者「明人倫戒淫奔」的另一手段，是通過對人物命運的不同處理來懲惡揚善，天道循環，善惡有報，好德者長壽，好色者夭折。這一「崇德戒色」的方式，較之那些「議論」，當然更厲害，更能强烈地體現作者的創作意圖。然而，問題就出在這裏。正是因爲作者要通過人物命運的安排（即不同人物的不同歸宿）來表達他的主觀意圖，就使得他陷入了以「善惡報應」之宗教觀念來演繹作品中衆多人物之命運的困境。換言之，在處理人物的歸宿時，他圖解了「崇德戒色」、「善惡報應」的教條，並或多或少地犧牲了人物性格發展的生活眞實和邏輯眞實。所謂「善惡報應」，大半是人們的善良願望，而事實往往與之相悖。《金瓶梅》的讀者中，稍有生活閱歷的人，可能會對那些源於生活、表現人物七情六欲的性格塑造，而不是對源於「善惡報應」概念的人物之歸宿處理更感興趣。

當然，所謂「歸宿處理」，也是「性格塑造」的手段之一。說到底，《金瓶梅》的人物性格塑造也是爲了「明人倫戒淫奔」，爲了「崇德戒色」。然而，這多半是作者的創作意圖，而我們從作品活生生的人物身上，仍然能常常看到「德不勝色」，看到「德」與「色」的深刻矛盾。《金瓶梅》寥寥無幾的「有德」之男性中，周秀算是佼佼者了：爲了防守邊關，盡忠報國，他毅然告別嬌妻，並叮囑夫人「清心寡欲，好生看守孩兒」（九十九回）；後來得勝班師，夫妻團圓，但他「逐日理論軍情，幹朝廷國務」，「至於房幃色欲之事，從不沾身」（一百回）。殊不知「有德」的夫却苦了「好色」的妻：春梅「獨眠孤枕，欲火燒心」，只得與僕人周義私通，弄得周秀戴著綠帽子死去竟不自知，可嘆可嘆（一百回）！更可嘆的，是這位「有德」之統制，當初也「好」過「色」，娶春梅便是鐵證。春梅何許人？潘金蓮的女婢，西門慶的姘頭，西門慶死後，又夥同金蓮與敬濟私通，最後被月娘趕出家門。如此無德之女，周秀爲何還要娶她？無非是她生得「花容月貌，一表人材」，周秀已有的幾位妻妾都比不上她。春梅初到周家，周秀便一連在她房中宿了三夜（八十五回），後來一門心思只在春梅身上，並冊封她爲「第一夫人」。只是以後周秀的官越當越大，「王事靡盬」，忙於「好德」而無暇「好色」了，但那「好色」的歷史却是洗不掉的。

不僅是周守備，連吳月娘也有「德不勝色」的時候。本來，月娘對那些不正當的性關係是深惡痛絕的，否則，她就不會派人痛打敬濟，並趕走金蓮和春梅。但後來，她對私通這類事，却漸漸變得寬容起來，如意兒與來興兒私通，玳安與小玉私通，都被月娘親眼看見，但是月娘不僅沒有指責這些「

好色」的僕人，反而成全了他（她）們的好事，讓兩對結爲正式夫妻。月娘此舉，雖然有諸如「家醜不外揚」、「維護家庭安寧」等難言之苦，但不管怎麼說，女主人的「德」，這次沒能「勝」過僕人的「色」。

德與色的矛盾，既表現在有德者（如周秀、月娘）身上，也表現在無德者身上。西門慶是公認的「無德」之惡棍，但平心而論，他也有「有德」的時候：常時節有難，西門慶慷慨解囊，連作者也說「西門慶仗義疏財，救人貧難，人人都是贊嘆他的」（五十六回）；瓶兒病重，潘道士囑咐西門慶「切忌不可往病人房裏去，恐禍及汝身」，但西門慶想：「寧可我死了也罷，須廝守著和她說句話兒」（六十二回）。不管西門慶如何「好色」，上述兩樁事，到底還是「有德」之舉。於此，我們從另一個角度再次看到：《金瓶梅》作者在人物塑造中「偷偷地」逾越了他自己「所定的界限」。

## 4.「最沒正經」，「却是最有結果的」

標題中的這段話，是張竹坡對韓愛姐的評語。韓愛姐是西門慶的姘頭王六兒的女兒，曾跟著王六兒一起賣淫。「娼婦之女，且自爲娼，然一留心敬濟，之死靡他」⑲。陳敬濟死後，愛姐發誓：「雖劓目倒鼻，也當守節，誓不再配他人！」父母挽留，春梅勸阻，以及後來遇難逃亡，都未改變愛姐的「守節持貞」之志（九十九回）。本來，她與陳敬濟並無夫妻（或妾）的關係，可是陳一死，她却要爲陳守節。由「好色」突然變得「好德」，這中間缺乏必要的令人信服的描寫，所以張竹坡說愛姐是「守的不正經的節」⑳。作者爲何要這樣處理？還是張氏慧眼識其妙：「且言愛姐以娼婦回頭，還堪守節，奈之何身居金屋而不改過悔非，一竟喪廉寡恥，於死路而不返哉？」㉑原來寫愛姐「有德」，是爲了愧春梅「好色」；豈止是愧春梅，「此所以將愛姐作結，以愧諸婦。」㉒爲了「崇德戒色」的創作意圖，作者只好讓「最沒正經」的，搖身一變爲「最有結果的」了。

這種魔法般的「變」，倒使我們窺到《金瓶梅》作者的另一個「秘密」：在他的意識深處，德與色，並非完全是針鋒相對、勢不兩立的。否則，以賣淫爲生的愛姐，何以成了節婦？堂堂正正的忠臣周秀，何以也迷戀過女色？「眞材實料」的月娘何以也爲好色者大開綠燈？於此，我們不僅看到作者創作意圖與作品實際之間的矛盾，而且看到作者創作意圖本身的內在矛盾。

一面振振有詞地表白要「明人倫戒淫奔」，一面又津津樂道地描寫只有「淫奔」而無「人倫」的情欲故事；一面歌頌有德者、鞭撻好色者，一面又不忘給後者擦粉、給前者抹黑；一面念念不忘「善惡報應」，一面偏偏又人爲地讓「淫婦」變成「貞女」，甚至連西門慶這樣的「惡人」也有了兩種結局：除了理所當然地托生孝哥兒受「項帶沉枷腰繫鐵索」之苦，又讓他同時托生京城富戶沈家，繼續飫甘饜肥妻妾成群（一百回），硬要讓「最沒正經」的，或全部或部分地變爲「最有結果的」。

細讀《金瓶梅》，以作品之「意」去逆作者之「志」，我們不難想見：作爲封建時代的文人，作者腦子裏同時裝著兩種東西：世代相傳已積澱爲集體無意識的儒家正統禮教，以及種種崇德惡色的清規戒律，他熟知的在情與欲的孽海中苦苦掙扎的男男女女，以及他親歷的浸透著血與淚的情欲故事。我們還可以想見，這兩種貌似涇渭分明實則糾纏不清的東西，如何折磨著他痛苦的靈魂。借用韓愈的話說，他也是一位「善鳴者」，「有不得已者而後言，其歌也有思，其哭也有懷」㉓，而一部《金瓶梅》，就是他的「言」，他的「哭」，他的「歌」！

然而，這是一首不和諧的「歌」，其中既有「行樂之符節」，又有「懲勸之韋絃」㉔，二者嘈雜交響，清濁相混。將「德」之說教與「色」之描寫硬性地摻合在一起，結果弄得後世讀者不僅不相信作者「戒色崇德」的自我表白，甚至懷疑作者是掛著「德」之羊頭，而兜售「色」之狗肉。

如此看來，《金瓶梅》又成了一部名曰「以德戒色」實則「好色無德」的書了？

一位研究《金瓶梅》的學者，曾與筆者談起他第一次讀《金瓶梅》的體會：初接觸那些性描寫的文字，的確有些面紅耳赤、魂不守舍，但讀到後來，就覺得那些描寫千篇一律，而且醜陋不堪，甚至讓人噁心，以致於使得他不僅對作品中的「性」分外厭惡，而且對生活中的「性」也無好感了。這位學者的閱讀心理或許沒有普遍性，但卻給我們一個啓發：《金瓶梅》作者在企圖「以德戒色」的同時，是否也企圖「以色戒色」（如人們常說的「以毒攻毒」）？也就是張竹坡所云：讓「最沒正經」的，變成「最有結果的」？

五十年代初，有一本《唯物論性科學》（張敏筠編譯，上海時代書局出版），談到西方中世紀禁欲主義的「反射作用」：

基督教蔑視性欲的束縛反促使性欲本身起反射作用而發達……在中世紀封建的意識形態的壓迫之下，變態性欲非常發達；……我國上自《聊齋》一類比較高級的文學作品，下至《金瓶梅》、《綠野仙踪》、《肉蒲團》等小說之產生，無非是極度受了封建的道學的意識形態的壓抑而起的反射作用。㉕

宋代理學家的「理欲之辨」並沒有能抑制那個社會的人欲橫流，到了明萬曆年間，則不僅出現了大膽描寫性生活的《金瓶梅》，而且出現了公開提倡「好貨」、「好色」的李贄——這些都是人所共知的。既然理學的「禁欲」能夠對生活以及文學的「縱欲」起「反射作用」，那麼，反過來說，文學中的「縱欲」，能否對「禁欲」起「反射作用」呢？

事實上，從上面那位學者的自述中，我們已看到了後一種「反射作用」的可能性。就《金瓶梅》的閱讀而論，後一種「反射作用」的發生是有條件的：首先，讀者須是「眞正讀書者」㉖，亦即有一定的文化和理論素養，有美學的、道德的批評眼光，這樣才能「全以我此日文心，逆取他當日妙筆」，才能「知作者行文的一片苦心」；否則，就只能「喜其淫逸，粗心浮氣」，不僅使「金瓶誤人」，而且「人自誤之」了㉗。再者，要整體把握，切勿獵奇式地「止看其淫處」㉘。平心而論，如果能從總體構思、情節敍述、人物塑造、細節描寫，以及作品產生的時代背景、作者的創作意圖等各個側面，全方位地把握《金瓶梅》，就不會只見其淫進而宣判她爲「淫書」了。《金瓶梅》的序跋作者們，爲她唱贊歌，大概也是看到了這種「反射作用」，聽到了「行樂之符節」所奏出的弦外之音。

然而，又有多少人能了解《金瓶梅》作者的一片苦心？在人們心目中，《金瓶梅》依然是「最沒正經」的。古往今來，也有那麼幾位想使她搖身而變爲「最有結果的」，其魔法形形色色，概而論之，無非兩套，而且終不離「德色」：

其一，去「色」留「德」。刪其穢處，以「潔本」之面目問世；

其二，貶「德」贊「色」。稱其大膽的性描寫是對封建禮教的蔑視和反抗。

《金瓶梅》作者若九泉有知，對此該作何感慨？

## 【附註】

①參見黃霖、韓同文選註《中國歷代小說論著選》上冊第一九三頁注釋①，江西人民出版社一九八二年版。

②見萬曆本《金瓶梅詞話》。

③同註②。

④見《張竹坡評點第一奇書金瓶梅》。

⑤同註④。

⑥本書凡引《金瓶梅》原文、眉評及故事情節，均據台灣天一出版社影印《新刻繡像批評原本金瓶梅》。

⑦張竹坡《金瓶梅讀法八十九》。

⑧見《諸子百家叢書·白虎通德論》第七二頁，上海古籍出版社一九九〇年版。

⑨ 見《馬克思恩格斯全集》第廿一卷第七二頁、六九頁，人民出版社一九六五年版。
⑩ 同註⑨。
⑪ 《馬恩全集》第廿一卷第七五頁。
⑫ 見《馬恩全集》第廿一卷第七五頁、七三頁。
⑬ 同註⑫。
⑭ 《馬恩全集》第廿一卷第七六頁。
⑮ 《金瓶梅讀法三十二》。
⑯ 《金瓶梅讀法十六》。
⑰ 《馬恩全集》第廿一卷第四二頁。
⑱ 胡文彬等選編《論金瓶梅》第四九頁，文化藝術出版社一九八四年版。
⑲ 《金瓶梅讀法十一》。
⑳ 《金瓶梅讀法九十二》。
㉑ 同註⑲。
㉒ 同註⑲。
㉓ 韓愈《送孟東野序》。
㉔ 張竹坡《第一奇書非淫書論》。

㉕引自上海文藝出版社一九八八年影印本第一八七—一八八頁。
㉖張竹坡《金瓶梅讀法五十六》。
㉗見《金瓶梅讀法》八十二、五十二。
㉘同註㉗。

# 第二章　財色論

翻開《金瓶梅》，我們看見西門慶如何發「財」，又如何好「色」。推而廣之：財，指書中描寫的經濟生活（包括人物的經濟地位）；色，則可視爲「性」的代名詞（性行爲、性意識、性心理）。「財」與「色」之間，大有文章可做。

對《金瓶梅》中的「財」，不少研究者都表現出濃厚興趣。像當年恩格斯從《人間喜劇》中學到「經濟細節」，當今學者從《金瓶梅》裏看到十六世紀封建中國的商業狀況和經濟生活，而且同樣獲得恩格斯那種「比從當時所有職業的歷史學家、經濟學家和統計學家那裏學的全部東西還要更多」①的喜悅。而對《金瓶梅》的「色」，當然是眾口討伐；至於財色之關係，則無人問津了。

馬克思主義有一個人所共知的基本原理：經濟基礎決定上層建築，後者一旦形成又反作用於前者。以《金瓶梅》爲例，財，無論是視爲「財產」、「生財之道」或「財主地位」，都屬於社會的經濟基礎；色，作爲性的觀念和意識，又是上層建築之中社會意識形態的組成部分。於是我們看到：《金瓶梅》之財與色，有著哲學層次的內涵；我們有可能更有必要運用歷史唯物主義的根本觀點和基本方法，剖析《金瓶梅》的財、色及其二者之相互關係。——對於《金瓶梅》的研究，這或許是個新的角度；而且，對《金瓶梅》的「財色」，進行社會學的研究，或許能使我們發現《金瓶梅》新的價值。

## 1.財對色的雙重衝擊

《金瓶梅》的「色」，其外延頗爲寬泛：幾乎與「性」有關的一切，都可稱之爲「色」。外延的寬泛導致了內涵的複雜：「色」，既有「放縱情欲」的一面，也有「個人性愛」的一面。所謂「個人性愛」，從性學的角度看，一般有兩個特徵：一是不以經濟條件而以自然條件爲基礎，二是以所愛者的互愛爲前提。比如，西方中世紀的騎士之愛，就是歷史上較早出現的「個人性愛」的形式②。《金瓶梅》的「色」之中，「個人性愛」的成份不多，頗爲顯著的是「放縱情欲」。

讀過《金瓶梅》的人都知道，西門慶的「放縱情欲」，達到了令人難以置信的程度，而所謂「程度」，又大致地表現在兩個方面：一是他幾乎將性生活（正常的和異常的，合法的和非法的）視爲他生命的主要目的和他日常生活的主要內容；二是爲了「性」的目的，他毫無道德的甚至人性的顧忌，完全是獸性般的無惡不作：毒死武大郎、氣死花子虛、毆打蔣竹山、陷害來旺兒……西門慶之所以成爲「色情狂」，自然有著社會和時代的外在原因以及倫理、心理乃至生理的內在原因，但在上述諸多的「原因」中，有一個最有份量最能說明問題的「謎底」：財。

西門慶生子又加官，高興之中給一化緣和尙送了五百兩銀子，月娘抓住此時機，因勢利導，勸丈夫多行善事，那些「沒來由，沒正經養婆兒，沒搭煞貪財好色的事體，少幹幾椿兒也好，攢下些陰功，與那小的子也好。」誰知西門慶對月娘的勸告大不以爲然，反而乘機發表了一通「好色有理」的高論：

……咱聞那佛祖西天，也不過要黃金鋪地，陰司十殿，也要些楮鏹營求。咱只清盡這家私，廣爲善事，就使強奸了嫦娥，和奸了織女，拐了許飛瓊，盜了西王母的女兒，也不減我潑天富貴。（五十七回）

西門慶放縱情欲之時，並非沒有想到「佛祖西天」的教誨和「陰司十殿」的恐怖，也並非全無倫理道德的概念（如他對「强奸」、「拐」、「盜」之類詞的貶意使用）。他想到了，但不在乎，因爲他有「財」，他有「潑天富貴」。就算是在陽間幹了「好色的事體」，到陰間後要受懲罰，他也有辦法：向陰司十殿的官員們行賄，把有罪買成無罪，正如他在陽間所幹的那樣。有錢能使鬼推磨，何愁「鬼」不赦免他。所以月娘的勸告毫無意義，他依然我行我素，直到他眞的步入「陰司十殿」。

陽世的一切，使西門慶看到了「財」的神通。他西門「原是清河縣一個破落戶財主」，靠著開生藥鋪和典當鋪起家，後來成爲「山東第一財主」（五十四回）。他幹了那麼多壞事，不僅長期「逍遙法外」，而且還「財運」、「官運」雙「亨通」，說穿了，還不是因爲他有錢。財大氣粗，有了錢，連嫦娥織女都敢强奸、連西王母的女兒都敢拐騙，在「放縱情欲」上，他還有什麼可顧忌的呢？說西門慶「色膽包天」，並不爲過份；而他那分「色膽」，多半是靠「財」壯起來的。一條「淫佚之路」，幾乎全由白花花的銀子鋪就。

《金瓶梅》寫的「宋事」，敍的却是「明史」。明代社會，經濟生活醖釀著深刻的變動，封建社會的母體內，蠕動著一個資本主義的胎兒。商品貨幣滲透到明代社會生活的各個領域，「一切東西都可以買賣」③的現實，衝破了幾千年來「諱言財利」的教條。商品經濟的發展，一方面爲西門慶這類商人提供了用武之地、發財良機，客觀上造就了他們放縱情欲的經濟地位或基礎；另一方面，商品意識對封建道德秩序的衝擊，使得西門慶這類富翁的享樂意識極度膨脹，以致於置任何倫理的、人性的戒律於腦後。

我們說西門慶是「財壯色膽」，但財主們並非都好色。巴爾扎克筆下的葛朗台，這個資本主義原始積累時代的大財主，與「色」完全無緣。西門慶，也是處於資本原始積累時代，但他的商品意識却遠比葛朗台「開放」，他對應伯爵發表過一通關於「財」的感慨：

兀那東西，是好動不好靜的，曾肯埋沒在一處。也是天生應人用的，一個人堆積，就有一個缺少了。因此積下財寶，極是有罪的。（五十六回）

「好動不好靜」，形象地表述出商品交換、貨幣流通的奧妙（藉此「貨幣→商品→貨幣」之「動」，他西門發了多大的財！）；「天生應人用」，又表明他並非「爲財而財」，並非將「積下財寶」視爲他經商的唯一目的，他要用「財」服務於他的人生，而「放縱情欲」則是其中的一項重要內容或主要目的：當然，「積下財寶極是有罪」云云，不過是爲他淫侈縱欲的生活所作的蹩腳的辯解。

對《金瓶梅》的「色」，人們習慣於道德的批判，却不太願意從社會學角度去剖析「色」中之「財」，去探求「好色」這種性現象的社會經濟內涵。恩格斯在《家庭、私有制和國家的起源》中，對人類婚姻制度以及通奸、賣淫等性現象的經濟基礎，作了系統而獨到的歷史唯物主義的研究。恩格斯一個世紀之前的理論探討，對於我們今天研究《金瓶梅》的財色關係，仍有啓發和指導意義。恩格斯指出：「一夫一妻制的產生是由於，大量財富集中於一人之手，並且是男子之手。而且，這種財富必須傳給這一男子的子女，而不是傳給其他任何人的子女。爲此，就需要妻子方面的一夫一妻制，而不是丈夫方面的一夫一妻制。所以這種妻子方面的一夫一妻制根本沒有妨礙丈夫的公開的或秘密的多偶制。」④而個體婚制下，丈夫的納妾或通奸（亦即公開或秘密的多偶制），其經濟根源正在於此。

男子有財，而且要將財傳給他合法的繼承人，這一經濟事實造成了兩個結果：女子只能有一個合法的丈夫，並且必須忠於他，也就是「妻子方面的一夫一妻制」，此其一；男子盡可以或公開或秘密地用財去壯色膽，用錢去買放縱情欲的「自由」，此其二。這兩個結果相互矛盾，尖銳對立；而這一對矛盾的「最充分的發展」，又必然產生兩個結果：「丈夫方面是大肆實行雜婚；妻子方面是大肆通奸」，以致於弄得「對付通奸就像對付死亡一樣，是沒有任何藥物可治的。」⑤

既然男子有「雜婚」的充分自由，女子爲什麼非得無條件地忠於丈夫呢？於是，我們在《金瓶梅》中看到潘金蓮、來旺媳婦、王六兒、林太太這許許多多大肆通奸的妻子。在《金瓶梅》中，無論是丈夫的「雜婚」，還是妻子的「通奸」，都既有「放縱情欲」的一面，又有「個人性愛」的一面；既有出於經濟目的的「財中之色」，也有出於自然目的的「無財之色」——「色」的這些複雜的層面，究其根本原因，都是由「財」（即「財富集中於男子之手」這一嚴酷的經濟事實）所導致。正是在這個意義上，我們從一部《金瓶梅》中，强烈地感受到財對色的雙重衝擊或影響：財產的私有制强化了男子的經濟地位，從而極度膨脹了男子的享樂欲望。同時，在家庭中處於附庸地位的女子或者爲求財，或者爲洩欲，同樣地放縱情欲——「財」之乾柴點燃「色」之烈焰，此乃衝擊之一；資本主義萌芽時期的商品意識和經濟觀念，衝擊著幾千年來所形成的封建道德秩序，無論是有財的丈夫還是無財的妻子，都敢於無視禮教的禁錮，躺在「情人的床上」，直到「晨曦初上」——「財」之獨弦琴上，迴蕩著「色」之「破曉歌」⑥，此乃衝擊之二。

## 2.借財求色與借色求財

從財對色的雙重衝擊中，我們看到經濟因素在性生活及其性觀念中的主角地位或決定性作用，這是財色關係的一個基本點。

然而，財色關係又是錯綜複雜的，張竹坡《金瓶梅讀法》中就談到「色中之財」、「財中之色」（讀法十九）、「財能致色」、「借財求色」、「借色求財」（讀法二十三）等等⑦。可見，財與色，既可成爲因果的兩極而互移，又可以視爲等價的雙方而互換。

財色交換的典型形式就是賣淫。張敏筠編譯的《性科學》指出：「賣笑在最廣義上的解釋是人類允許異性以肉體和物質的利益相交換」⑧，《二十世紀韋氏字典》將「賣淫者」定義爲「爲錢財從事（和許多男人）性交活動的婦女」⑨。如果說，賣淫是財與色的直接、公開的交換；那麼，不以自然條件爲基礎，而以經濟條件爲基礎的「權衡利害的婚姻」⑩，則是財與色的變相的、較爲隱蔽的交換。不同的是，後一種交換蒙有一層倫理的面紗。西門慶上麗春院，找吳銀兒、愛月兒、李桂姐鬼混，是「借財求色」；西門慶娶妻納妾，同樣是「借財求色」。他看上潘金蓮，欲與之勾搭，求王婆做牽頭，王婆直言不諱：「挨光最難，要捨得使錢」（三回）。西門慶當然是毫不吝嗇地向牽頭行賄，書中寫道：「但凡世上人，錢財能動人意。那婆子黑眼睛見了雪花銀子，一面歡天喜地收了。」王婆牽頭，西門如願。收買了王婆，還要收買金蓮，與金蓮姘居期間，西門慶爲金蓮也捨去不少「雪花銀子」。事實上，在正式嫁給西門慶之前，潘金蓮之於西門慶，與「賣淫」並無本質區別，而王婆在其間扮演了一個「老鴇」的角色（西門慶死後，王婆領回金蓮，要以一百兩銀子的價錢賣掉她）。毒死武大後，西門慶將金蓮娶到家裏，間斷的「賣淫」，於是變爲永久性的「賣淫」。「這種權衡利害的婚姻，……往往變爲最粗鄙的賣淫——有時是雙方的，而以妻子爲最通常。妻子和普通的娼妓不同之處，只在於她不是像雇佣女工計件出賣勞動那樣出租自己的肉體，而是一次永遠出賣爲奴隸。」⑪潘金蓮由當「姘頭」到當「妾」，說到底，是由「計件出賣」到「永遠出賣」，買主當然是借財求色的西門慶。

西門慶不僅買了潘金蓮的肉體，還要買她的心。不過，並非是買她的「愛心」，而是澆她的「妒火」。西門慶與瓶兒私通時，金蓮大吃其醋，百般阻攔。後來，西門慶將瓶兒送的壽字簪兒轉贈給金蓮，金蓮便來了個一百八十度的大轉彎：不僅不吃醋，反而自告奮勇爲他們觀風。西門慶與書童搞同性戀，金蓮頗爲不滿，但西門慶給了她一些衣料，她就不吭聲了。對西門慶來說，用錢財澆金蓮的妒火，不過是爲他放縱情欲掃除障礙，故可視爲另一種形式的借財求色。

《金瓶梅》之中，「借財求色」的當然是掌握了財權的丈夫；而無財却又圖財的妻妾們，只好「借色求財」了。上面提到的潘金蓮，就是「借色求財」。但嚴格地說，潘金蓮之「售色」，並非全爲了財，更多更主要的還是爲了滿足她那近乎瘋狂或病態的生理欲望。說到底，她只是在放縱情欲之餘，順便求點財，比如說，向西門慶索取紗裙、皮襖之類的服飾物品。

全然以「求財」爲目的者，是宋蕙蓮、王六兒之流。宋蕙蓮作爲女僕而得到男主人的青睞，當然是求之不得、深感榮幸，因此，她決不放過這天賜的求財之良機。每每與西門慶私通，總忘不了索取財物，即便只是與西門慶親親嘴，也得向對方要點東西。她不僅爲自己求財，還爲丈夫求財：要西門慶給她丈夫來旺兒多派些能掙錢的好差事。宋蕙蓮對西門慶百依百順，完全是圖財（爲自己也爲丈夫），西門慶似乎未看透個中奧秘，反而故作多情，以爲宋蕙蓮傾心於他。後來爲長期霸占她，設毒計陷害來旺。來旺妻一旦失去了丈夫和家庭，也就失去了「求財」的必要，立即與西門慶公開決裂，並當面責罪西門慶，最後自縊身亡（二十六回）。

如果說來旺妻是先奸後索錢，那麼王六兒則是未知入港先有預謀。爲西門慶牽線的馮媽媽對王六兒說：「你若與他凹上了，愁沒吃的穿的使的用的？」（三十七回）王六兒正是爲了「吃的穿的使的用的」而「敍上了有錢的漢子」。她同樣是爲自己和丈夫求財，只不過手法比宋蕙蓮高明一點。王與宋的另一不同之處是：後者的丈夫被蒙在鼓裏，前者的丈夫却是同謀：王六兒告知其夫她與西門通奸之事：「也是我輸了身一場，且落他些好供給穿戴。」韓道國心有靈犀，感激其妻開了一條生財之道：「如今好容易撰錢，怎麼趕的這個道路」，並爲之大開方便之門：「他若來時，你只推我不知道，休要怠慢了他」（三十八回）——從這段「精彩」的夫妻對話中，我們嗅到的豈止是銅臭味？看到的豈止是在財之泥淖中腐爛的靈魂？

西門慶的財不僅征服了中下層婦女如宋蕙蓮、王六兒，而且使世代簪纓閥閱之家的貴婦人林太太也動了心。牽頭文嫂向林太太誇說西門財富：「……開四五處鋪面，……外邊江湖又走標船……赤的是金，白的是銀，圓的是珠，光的是寶……」，弄得這位豪門巨族的節婦居然「心中迷離模亂，情竇已開」，終於在她家的「節義堂」內借色求財（六十九回）。於此，我們不僅看到財對於色的勝利，而且看到金錢物欲之橫流，對傳統價值觀的巨大衝擊。

《金瓶梅》不乏爲財而「售色」的各種身份的女性，但也有並不「爲財售色」反而「賠財售色」的女性，李瓶兒便是典型一例。瓶兒「原是大名府梁中書妾，晚嫁花家子虛，帶了一份好錢來」（十回），花子虛乃花太監侄男，老太監給他們留下大筆遺產。瓶兒後來看中西門慶，與之通奸，從不索財，而是捨財：頻繁地給西門慶和西門慶的妻妾送禮，甚至在正式嫁到西門家之前，就將大把大把的銀子送給西門慶。在西門慶的六個妻妾中，瓶兒是最有錢的，也是最大方的。她如此慷慨，並非「視金錢如糞土」，而是她懂得如何使用金錢。她希望找一位既風流又能賺大錢的丈夫，花子虛是十足的紈褲子弟，蔣竹山是銀樣鑞槍頭，她最後選中了西門慶，於是不惜血本進行情感和金錢的投資，她相信她的雙向投資定會有成效。事實也是如此：她對西門慶的一往深情，換來西門慶對她的寵愛；她對眾妻妾的小恩小惠，使得她在西門大宅獲得好人緣；她送給西門慶的銀元，使西門慶有了更多經商賺錢的資本。西門家的暴富，又是她瓶兒的驕傲。一次，西門問瓶兒：「我比蔣太醫那廝誰强？」瓶兒答：「自你每日吃用稀奇之物，他在世幾百年還沒曾看見哩。」（十九回）瓶兒究竟還是傾慕西門慶的富貴並爲之而自豪的。

如果說李瓶兒是「財色雙售」，那麼西門慶則是「財色雙收」。與李瓶兒先通奸後結婚，瓶兒帶了大量的財產進西門慶家。在這之前，西門慶娶名妓李嬌兒，帶來三千兩銀子。頗值一提也是頗有戲劇性的，是西門慶娶孟玉樓的前前後後。《金瓶梅》一至六回都是寫西門慶與潘金蓮勾搭的事，他們合謀藥死武大，接下去該是納金蓮爲妾了。誰知半道裏殺出個媒婆薛嫂兒，爲富孀孟玉樓說親。衝著玉樓的上千兩現金，三二百筒三梭布以及其它等等陪嫁，西門慶只得把金蓮暫時擱在一邊。待孟玉樓的財產所有權正式移交之後，西門慶才有空再去光顧那位只有色而沒有財的潘金蓮，而這位財巨色遜的孟玉樓只得享受「被擱置」的命運。在「財色雙收」的西門慶看來，最有價值、最具魅力的，當然是李瓶兒這種「財色兼備」的女性。

## 3. 財色怪圈：從「雙收」到「兩空」

馬克思「資本論」在論述「資本的積累過程」時，談到「古典的資本家」與「現代化的資本家」在處理「積累」與「享樂」之矛盾時的不同態度。馬克思指出：現代化的資本家「對自己的亞當（『亞當』在這裏也有欲望、情欲的意思——譯者註）具有『人的同情感』……他把禁欲主義的熱望嘲笑爲舊式貨幣貯藏者的偏見。古典的資本家譴責個人消費是違背自己職能的罪惡，是『節制』積累，而現代化的資本家却能把積累看作是『放棄』自己的享受欲。」⑫我們曾將西門慶與葛朗台對比，具有「貯藏貨幣」和「禁欲主義」雙重熱望的老葛朗台，與「積累欲」和「享受欲」同步膨脹的西門慶，可分別視爲馬克思所描述的新舊資本家的典型形象。

舊式資本家將「積累」與「享受」視爲不可調和的矛盾，「他的私人消費，對他來說也就成了對他的資本積累的掠奪」⑬，所以葛朗台將他的「私人消費」降到最低程度。而在西門慶看來，財之「積累」與色之「享樂」可以並行不悖：「就使强奸了嫦娥，和奸了織女，拐了許飛瓊，盜了西王母的女兒，也不減我潑天富貴！」事實上，他瘋狂地放縱情欲享樂肉體，並沒有影響他的經商發財。

對於西門慶來說，肉體和情欲的放縱，豈止是「不滅富貴」，簡直是爲他「招財進寶」。如馬克思所描述的：「在一定的發展階段上，已經習以爲常的揮霍，作爲炫耀富有從而取得信貸的手段，甚至成了『不幸的』的資本家營業上的一種必要。」⑭西門慶爲求色，從來是不惜血本，他在嫖妓女、占姘頭，乃至爲妻妾做生日、宴請一班狐朋狗友等方面大肆揮霍。而這些揮霍炫耀了他的富有，並取得了幾大筆不付利息也無須償還的「信貸」：孟玉樓的上千兩，李嬌兒的三千兩，李瓶兒的更多……因此，西門慶的好色和放蕩，有意無意地成爲他商業經營上的一種手段。顯而易見，倘若沒有玉樓等妾的無息「信貸」，西門慶後來的暴富是不可想像的。在西門慶瘋狂或變態的生理欲望後面，潛藏著一位生藥鋪老板對錢財的貪欲和盤算。他窺視瓶兒的家私，先是氣死花子虛，後是毒打蔣竹山，終於將瓶兒的「色」與「財」一併占爲己有；他本來與金蓮打得火熱，甚至爲之毒死了武大，但爲了玉樓的財，他果斷地「擱置」金蓮而「呑併」玉樓。就這樣，他一邊積累，一邊享受，有時積累是爲了享受（亦即「借財求色」），有時享受反而增加積累（所謂「財色雙收」）。財富積累得愈多，享受的欲望愈强烈，在那樣一個社會裏，手頭有了錢，便可以隨心所欲地出入妓院，占人妻女，任意地胡做非爲；愈是放縱情欲，便愈覺得錢財的神通，漁色逐艷的特權和自由，是用白花花的銀子換來的，因此，積累財富的欲望愈强烈。積累欲與享受欲相互刺激，互爲因果，以致形成一個財色循環的怪圈。

按照傳統的觀念，大凡好色之徒，一般都是紙醉金迷，一事無成的紈袴子弟，西門慶却有些不同。他在靡爛放縱的同時，絲毫不放鬆他的「事業」——經商放債、征財逐利。他並沒有因爲好色而失去財，直到他淫喪前夕，他仍是山東首富，而且彌留之際，他還能異常清醒地向陳敬濟交待：他有多少鋪子，每個鋪子多少本錢，由誰人掌管；外面放債多少，利息多高；他還有多少房產，等等（七十九回）。可見，放縱情欲不僅沒有「腐蝕」掉，反而「激發」起他的「積累欲」，以致在他爲縱欲而喪命時，還有著清醒的經濟頭腦和興旺發達的私營商業。

西門慶的悲劇正在於此。他只活了三十三歲，短暫的一生，只爲了兩個字：財色。兩大欲望愈演愈烈，以一股不可抗拒的力量，將西門慶推向地獄的大門。張竹坡說：「西門於六兒，借財圖色；而王六兒亦借色求財，故西門死，必自王六兒家來，究竟財色兩空。」⑮由「財色雙收」到「財色兩空」，西門慶走完了他的人生旅程。他的淫喪是必然的，因爲他走進了財色怪圈。積累欲與享受欲的相互刺激惡性膨脹，毀滅了他的肉體。肉體有限，欲望無窮，骯髒的「有限」，被醜惡的「無窮」所毀滅，而這「毀滅」將那「無窮」延續下來，又去導致新的「毀滅」……

## 4.無「財」之「色」：恩格斯的憧憬

如何看待《金瓶梅》的「財色」？這與如何看待《金瓶梅》的「德色」一樣，是一個難題。就創作意圖而論，《金瓶梅》是「崇德戒色」，亦即「明人倫戒淫奔」⑯。作爲傳統道德規範，「崇德戒色」當然是以儒家綱常倫理抑制人的自然情欲，具有明顯的「禁欲主義」特徵。但是，如果人人都像西門慶那樣好色無德，放縱情欲，那麼，社會又會成爲什麼樣子？如此看來，「戒色崇德」無論在哪個時代都有些道理，因爲好色一過了頭，就成爲「淫」，成爲糜爛和腐朽。

財色，也是與傳統道德勢不兩立。「天下最眞者，莫若倫常，最假者，莫若財色……本以嗜欲，故遂迷財色，……因彼之假者，欲肆其趨承，使我之眞者，皆遭其荼毒。所以此書獨罪財色。」⑰「獨罪財色」，也是《金瓶梅》「崇德戒色」的手段之一。「色」本身就夠可惡了，再加上一個「財」，則可惡之極。所以《金瓶梅》第一回說「惟有財色二者更爲利害」。從西門慶的「財色怪圈」中，我們已充分地感受到財色對靈魂的腐蝕、對生命的荼毒。在一個健全、清新的社會裏面，漁色征財以致於喪失人性，無論如何不是光彩的行爲。

當然，分析《金瓶梅》的「財色」，不能脫離特定的時代背景。《金瓶梅》的時代，封建等級制保護著少數人的特權，同時，封建倫理觀扼殺著人的自然欲望。一方面，統治者可以不付出任何勞動而財源滾滾，可以不受任何禮教的約束而驕侈淫佚；另一方面，被統治者只能「存天理滅人欲」，財欲、色欲統統滅掉。於此黑暗年代，李贄喊出「好貨」、「好色」的口號，《金瓶梅》毫無顧忌地描寫「財色」，無疑具有反叛傳統觀念、沖決禮教束縛的進步意義。話又說回來。在《金瓶梅》的時代背景下分析「財色」，仍然是受了某種局限。倘若我們走出《金瓶梅》的時代，站在整個人類歷史（尤其是「婚姻史」和「性史」）的發展高度，就不難發現：無論是「因財求色、因色求財」，還是「財色雙收」（或「雙售」），抑或「財色怪圈」，都是只可研究而不應重演的「歷史」。從根本上說，財色相混的婚姻或性關係，與恩格斯所讚美的「現代性愛」異若冰炭。恩格斯設想：那種由經濟地位所決定的資產階級的婚姻將被取而代之：

> 取而代之的將是什麼呢？這要在新的一代成長起來的時候才能確定：這一代男子一生中將永遠不會用金錢或其他社會權力手段去買得婦女的獻身；而婦女除了眞正的愛情以外，也永遠不會再出於其他某種考慮而委身於男子，或者由於擔心經濟後果而拒絕委身於她所愛的男子。⑱

如果我們將「色」的外延限定爲人的自然而健康的情欲，那麼，恩格斯所描繪所憧憬的這種「現代的性愛」則可以表述爲無「財」之「色」。這種「現代性愛」之「色」，既無需用「財」去求，更不必用「積累欲」去刺激。它捨棄了任何經濟的或其它世俗的考慮，它「除了相互的愛慕以外，就再也不會有別的動機了」⑲，它是眞正「合乎道德的」、「以愛情爲基礎的婚姻」⑳。

應該看到，恩格斯的憧憬，已部分地變爲現實。在社會主義國家，公有制取代了私有制，「現代性愛」的經濟基礎已初步具備。「一切女性重新回到公共的勞動中」——這一恩格斯所認定的「婦女解放的第一個先決條件」㉑，在社會主義國家已完全成爲事實。就家庭而言，丈夫不再是「資產者」，妻子不再是「無產階級」㉒，夫妻經濟上的平等，已爲「現代性愛」的誕生開闢了廣闊的道路。

然而，必須看到：社會主義不是憑空產生的，她從舊的社會制度脫胎而出，在她身上不可避免地帶有舊制度的某些痕迹；從另一個角度看，「現代性愛」也不僅僅是個經濟問題。因此，即使在公有制的今天，我們這個社會的愛情、婚姻、家庭，離恩格斯所憧憬的無「財」之「色」，離恩格斯所讚美的「現代的性愛」，還有一段相當長的距離。

【附　註】

①《馬恩選集》第四卷第四六三頁。
②參見《馬恩全集》第廿一卷第七七—九〇頁。
③《馬恩全集》第廿三卷第一五二頁。
④《馬恩全集》第廿一卷第八八頁。
⑤《馬恩全集》第廿一卷第八三頁。
⑥同註⑤。
⑦見《張竹坡評點第一奇書金瓶梅》。
⑧見上海文藝出版社一九八八年版第一三九頁。
⑨轉引自鄭衞民等編譯《性哲學》第九六頁，農村讀物出版社一九八九年版。
⑩《馬恩全集》第廿一卷第七七頁。
⑪《馬恩全集》第廿一卷第八四頁。
⑫《馬恩全集》第廿三卷第六五一頁。
⑬《馬恩全集》第廿三卷第六五〇頁。

⑭ 同註⑫。

⑮ 《金瓶梅讀法二十三》。

⑯ 欣欣子《金瓶梅序》。

⑰ 《竹坡閑話》，見《張竹坡評點本金瓶梅》。

⑱ 《馬恩全集》第廿一卷第九六頁。

⑲ 《馬恩全集》第廿一卷第九五頁。

⑳ 《馬恩全集》第廿一卷第九六頁。

㉑ 《馬恩全集》第廿一卷第八七頁。

㉒ 同註㉑。

# 第三章　目的論

前兩章依次從倫理的和經濟的角度，對《金瓶梅》之「色」進行了社會學的探討。《金瓶梅》作者的創作意圖，在「德色」關係上所表現出的無法調和的矛盾，充分顯示出作者性觀念的兩面性：與儒家綱常倫理既合拍又衝突。《金瓶梅》男女主角的人際關係，雖錯綜複雜，但大多以「財色」爲主要紐帶。西門大宅乃至清河縣城的芸芸衆生，心懷「財色」鬼胎，表演各自的悲喜劇。

「德色」也罷，「財色」也罷，在《金瓶梅》裏，「色」無疑成了「性」的代名詞。我們看到，《金瓶梅》的「性」，與「德」既針鋒相對又藕斷絲連；與「財」既相互利用又互爲因果。那麼，「性」到底是什麼？或者說，「性」到底爲了什麼？

「德色論」之探討性的倫理內涵，「財色論」之探討性的經濟內涵，都只是從某一個方面描述出性社會學的外部特徵或規律。欲進一步探討性之本質，則需上升到哲學層次，剖析性社會學的根本問題：性之「目的論」。

## 1.螺旋：歷史的回顧

人乃宇宙精華萬物靈長。人的性活動決不僅僅是動物式的原始衝動，它有著深刻的社會學內涵；而人對自身性活動的理性思考，早在遠古時代就開始了。

剛剛從動物界分化出來的遠古人類，還不可能明瞭人類性行爲與生殖現象之間的因果關係，他們將「性交」和「生殖」這兩件事分別起來看：一方面，他們認爲性交僅只是以單純的感覺的快樂爲目的；另一方面，認爲妊娠、生育等生殖現象是不可理解甚至是恐怖的。例如，澳洲土著就認定懷孕是植物之妖靈的投胎；中國也有「靈感受胎說」：如傳說姜嫄履巨人之足迹而生文王，劉邦之母受龍君的靈感而受孕，等等①。顯然，原始人類對性的哲學思考還停留在感性的、不自覺的階段。但值得肯定的是，在他們恐懼「生殖」的同時，却獲得單純的性交的快感。或者說，對「生殖」的恐懼，反過來加强了他們「性交」的快感。以「快樂」而不是以「生殖」爲目的，這便是人類「性史」上最早的「性目的論」。

以「快樂」爲目的的性觀念，是原始亂婚的哲學基礎；而原始亂婚的經濟基礎，則是原始公社制。隨著人類的進化、生產力的發展、私有制的誕生，經濟因素在人類的「性」和「婚姻」中所占的地位愈來愈重要。大量財富集中於一人之手，並且是男子之手，而且這種財富必須傳給這一男子的子女，而不是傳給其他任何人的子女。於是，父權制代替了母權制，以一夫一妻爲主要形式的個體婚制，代替了由原始亂婚發展而來的血緣婚和對偶婚。「生兒育女」自然成了婚姻乃至性活動的唯一目的。

在《金瓶梅》的國土和時代，與「一夫一妻」的婚姻制度相適應的，是儒家的綱常倫理。「不孝有三，無後爲大」，「婚姻」及其「性的活動」如果達不到「生兒育女」的目的，則不僅在經濟上使丈夫失去了財產繼承人，而且，在倫理上也是一種「不孝之舉」。「財」的延續和「孝」的延續，全都靠「性目的」的實現。當然，「生育」的目的，更多是針對沒有財產的妻子而言，而丈夫盡可以在「生育」之外另找「快樂」，因爲妻子方面的一夫一妻制，根本沒有妨礙丈夫的公開或秘密的多偶制。吳月娘和西門慶性行爲的迥異，充分說明了這一點。

台灣性學專家台大醫院精神科曾炆煋先生指出：「從生物學之觀點說來，正常性行爲之最終目的在於傳宗接代。故假若其性行爲之結果，並不導向於此最後目的者，可稱爲變態性行爲。」②然而，到了現代社會，隨著婦女的解放（家庭財產不再爲男子所獨占），隨著避孕方法的出現，以生殖爲目的的性活動已轉向密切夫妻關係的「關係性」性活動，或使夫妻獲得單純快感的「消遣性」性活動。因此，所謂「正常」和「變態」，就失去了區分的必要。即使是站在生物學的觀點看，不以「傳宗接代」爲目的的性行爲，也很難說就是變態。生理快感、心理愉悅，以及中國古代的「房中術能延年益壽」，等等與生殖無關的目的，也應該是性生物學的題中之義。

就性的兩大主要目的（生殖和快樂）而論，我們看到：性的發展歷史在「性目的論」領域內，完成了一個「螺旋」：由原始人類的以「快樂」爲目的，到中古社會以「生殖」爲目的，再到現代人類重新回到以「快樂」爲目的。顯然，此「螺旋」的「終點」，對於「起點」來說，並非簡單的重複，而是一種理性的、哲學的昇華：由一種朦昧的而且是單純生理的快感，發展爲清醒的伴隨著心靈顫動、精神愉悅和愛情甘霖的快樂。

人類的性活動，除了「生殖」與「快樂」這兩大根本性的目的之外，還有其他種種目的。《抱朴子・內篇・釋滯》：「人欲不可都絕，陰陽不交，則生致壅遏之病……房中之法十餘家，或以補救傷損，或以攻治衆病，或以採陰益陽，或以增年延壽，其大要在於還精補腦之一事耳。」③可見性生活對人的身心健康有積極作用，所謂「還精補腦」、「增年延壽」。

如果說，葛洪的「目的論」是一種東方式的樂觀主義；那麼，薩特的「目的論」則是具有西方特徵的悲觀模式。他的《存在與虛無》認爲情欲並非是對快樂的欲求，而是一種犧牲別人以認識自身的欲望。人在性的交接中，將自我和對方都「化爲」或「降爲」肉體：一方面，「我變成面對他人的肉體以便把他人的肉體化歸己有」④；另一方面，「我爲了實現他人的肉身化而自我肉身化」⑤。因此，「我們首先應該放棄情欲是對快感的情欲和使痛苦中止的情欲這種觀念」⑥。總之，在薩特看來，性交，作爲人際關係的一種特定形式，它的最終目的並非指向「快樂」，而是指向人與人的衝突或對立。

無論是葛洪的樂觀模式，還是薩特的悲觀模式，都從各自不同的角度，超越了傳統的「生殖——

快樂」目的論，從而拓寬了「性目的」的研究領域，這對於我們探討《金瓶梅》的性目的，無疑具有啓迪意義。

## 2. 衝突：傳宗接代與眞個銷魂

第一章「德色論」曾提到，吳月娘雪中拜斗焚香，她的「禱告詞」全文如下：

> 祈祐夫早早回心，不拘妾等六人之中，早見嗣息，以爲終身之計，乃妾之素願也。（二十一回）

作爲西門慶的「正妻」，吳月娘念茲在茲的，是要爲丈夫生個兒子，延續西門之家的香火，繼承西門之家的財產。在西門慶的衆妻妾中，乃至在《金瓶梅》中出場的衆女性中，吳月娘堪稱「德行」最優，這主要表現在她的私生活「純潔無瑕」。西門慶終日出入於妓院酒館，即便回家，多半也是往金蓮或瓶兒房裏去，因而一年三百六十五天，難得有幾日與月娘過夫妻生活。而月娘在極其有限的夫妻同居中，也絕無半點「邪念」，一門心思只爲「續嗣」這「終身之計」。如果說她對丈夫貪淫好色有些不滿的話，也只是擔心丈夫的「無德」會得罪主管人間生育的天神，擔心丈夫的放蕩會影響他傳種的能力，擔心她的「素願」難遂。爲了「終身之計」，月娘可謂費盡心機：堅持每月吃齋三次，逢七焚香拜斗，企圖以一己之虔誠感動上蒼、感動西門慶；同時，請女尼薛姑子買安胎藥，念血盆經。

吳月娘的「嗣息」還不見踪影，有一位「後來者」却「居上」了。李瓶兒嫁西門慶不久便有了身孕，這位排行最末的妾，一下子成了西門大宅的「明星」。西門慶對她格外看顧自不待言，連當初嘲笑過她的月娘也不敢怠慢她。不過瓶兒倒很冷靜，她深知自己的「懷孕得寵」會引起他人的嫉妒甚至仇視，她小心翼翼地保護著她的「胎兒」，慘淡經營著她的「終身之計」。

瓶兒的頭號敵人是潘金蓮。這位金蓮，既不像瓶兒有那麼多的家私，更不像月娘有那麼高的德性。她與男子的性生活，並無多少「傳宗接代」的念頭，而全然以「眞個銷魂」爲目的。當初看不上武大郎，只因爲他不是「男兒漢」，而是一塊「三打不回頭，四打和身轉」的「頑石」（一回）；她看上西門慶，也並非看上他有錢有勢，「當初奴愛你風流」，「奴家不曾愛你錢財，只愛你可意的寃家，知重知輕性兒乖」（八回）。可以說，「財產繼承」的經濟觀念和「無後爲大」的倫理觀念，在金蓮頭腦中都是很淡薄的。她考慮得最多的是，如何獨占西門慶的「身」和「心」，以保證她「銷魂」的目的和特權。瓶兒的因懷孕而得寵，對金蓮的「目的」和「特權」，無疑是個極大的威脅，因此，由於「性目的」的分歧而導致的「金瓶之衝突」就不可避免了。

還在瓶兒懷孕期間，金蓮就大放流言，說瓶兒懷的不是西門慶的種，是她從外面帶來的；瓶兒生子，這邊嬰兒呱呱落地，那廂金蓮閉門大哭（三十四回）。自此，金蓮蓄意與瓶兒作對，並想方設法嚇唬瓶兒之子：抱走官哥兒，高高舉起，使孩兒半夜發寒潮（三十二回）；毒打秋菊，使其慘叫唬醒病中的官哥（四十一回）；官哥玩金鐲子，被丫環盜走一只，金蓮借機大作文章，辱罵瓶兒（四十三回）；訓練貓兒捕食，終於唬死了官哥（五十九回）。書中寫道：「金蓮見瓶兒有了官哥兒，西門慶百依百順，要一奉十，故行此陰謀之事，馴養此貓，必欲唬死其子，使瓶兒寵衰，教西門慶復親於己」（五十九回）。在金蓮的進攻面前，瓶兒忍辱負重（連金蓮唬病官哥的眞相也不敢讓西門慶知道），到底還是沒有保住官哥的性命，後來連自己的命也丟了。潘金蓮「見孩子沒了，每日抖擻精神，百般稱快」（六十回）。

如果說，「金瓶之戰」以金蓮獲勝而告終；那麼，在後來的「金月之戰」中，金蓮却落落大敗。吳月娘在小產一次之後，終於又懷上了。瓶兒臨終前對月娘說：「娘到明日，好生看養著，與他爹做個根蒂兒，休要似奴粗心，吃人暗算了。」（六十二回）有了瓶兒的「前車之覆」，月娘憑借她的正宗地位，主動向金蓮進攻，尋釁大罵金蓮，並威逼金蓮賠罪認輸；後來西門慶一死，乾脆將金蓮掃地出門。

對發生在西門大宅內的「傳宗派」與「銷魂派」的衝突，我們無意作道德的評價，只想作哲學的思考。我們看到，在「目的論」問題上，與前面談到的「德色論」和「財色論」一樣，《金瓶梅》的描寫及其所表現的創作意圖，充滿了深刻的矛盾。《金瓶梅》是「崇德戒色」的，所以一般而論，她視「傳宗接代」爲正宗，視「眞個銷魂」爲異端。異端者如金蓮，其「唬死官哥」的陰謀之事雖能得逞一時，但最終還是要敗倒在正統者的腳下，以致於死無葬身之地。正統者如月娘，所向無敵，打敗了「銷魂派」，並且爲西門慶生了一個「孝哥兒」。

然而，《金瓶梅》究竟是一部寫「色」的書，如前所述，她的創作實際「偷偷地逾越了」作者自己（也是儒家禮教）「所劃定的界限」，大膽地描寫了情欲及其情欲者的快樂。「銷魂派」的首領金蓮遭了惡報，但馬上有春梅傳其衣鉢；以快樂爲性目的的西門慶雖不得好死，但其婿陳敬濟又成了他的翻版——眞可謂後繼有人。而「傳宗派」呢，李瓶兒爲保住官哥兒，作了多大的犧牲（昔日在花子虛、蔣竹山面前凶如猛虎，今日在西門家軟如綿羊；昔日情欲似火，今日性冷如冰）！一番苦心却化爲泡影。「終身之計」落到吳月娘肩上，她歷盡千辛萬苦，將西門慶的遺腹子拉扯成人，却被那該死的和尙將西門慶的「種」「幻度」跑了。到頭來，「銷魂」的魂滅，「傳宗」的宗無，兩派同歸於盡，人間萬事皆空。

《金瓶梅》的作者，在「性目的」的問題上，陷入了無法解脫的矛盾之中。「眞個銷魂」是好色淫蕩，理該嚴禁，然而在現實生活中竟有如此誘惑力；「傳宗接代」乃天經地義，但是讓西門慶這類惡人也有嗣息，豈不有違「善惡報應」之天條？所以，作者別無選擇，只好來一個同歸於盡萬事皆空，讓天國的使者來了結這塵世的孽案。

在我們今天看來，「生育」與「快樂」這兩個目的其實並不矛盾，正如經濟學上的「生產」與「消費」並不矛盾一樣。性是什麼？——生育＋快樂；性爲了什麼？——傳宗接代與眞個銷魂。爲何《金瓶梅》的作者要將二者弄得水火難容呢？說到底，是「禁欲」的正統觀念作祟。

英國性學大師靄理士《性心理學》有一節談「性目的」話，頗有深意：

不錯，天生了我們的性器官，是爲傳種的，不是爲個人逸樂的；但天生了我們的手，目的原在

> 幫助我們的營養功能，如今我們拿它來彈鋼琴，撥琵琶，難道也錯了麼？一個人用他的器官來取得生命的愉快，增加精神的興奮，也許和這器官的原始功用不很相干以致於很不相干，但因爲它可以幫一般生命的忙，這種用法還是完全正當的，合乎道德的，至於我們願意不願意稱它爲「自然的」，那畢竟是次要的一個問題。⑦

靄理士還進一步指出：那些「認定只有以嗣續爲目的的性交才合乎『自然』的人」，其實是「『問道』於低極的動物」⑧。可見在某種意義上，應該說「快樂」的目的，有時甚至高於「生育」的目的，因爲前者是超功利的，有一些藝術的味道，像人們彈鋼琴撥琵琶一樣。當今有人視夫妻間成功的性生活爲一種藝術，大約是濫觴於靄氏。站在「性是藝術」這樣一個高度，再來看儒家禁欲主義的「目的論」，則不難見出其保守的一面。以爲夫妻間的性生活，一旦失去了嗣續的目的，就成爲一種侈奢，一種罪孽，這種性目的觀，於情於理都是說不通的。

但是，對《金瓶梅》的「銷魂派」，又要具體分析。以「眞個銷魂」爲性目的，確有反叛禮教束縛、呼喚個性自由的一面；但他（她）們追求的「快樂」，多半還停留在「肉體」的層次（或者如薩特所言，是將自我和對象降爲「肉體」），並非是靄理士所說的「生命的愉快」和「精神的興奮」。更何況，他們爲了一己之「快樂」，不惜戕賊他人（甚至包括無辜孩童）之生命。手段的卑劣，往往能驗證目的的卑劣，用他人的「痛苦」換來自己的「快樂」，這種「快樂」的性質不難想見。

## 3. 變奏：銷魂時分的不和諧音

《金瓶梅》裏，男性如西門慶、陳敬濟，女性如潘金蓮、龐春梅，他（她）們性生活的主要目的，是追求肉體的快感。但往往有這種情形：他（或她）自己以「快樂」爲目的，但對方卻「心懷鬼胎」，並非也以「快樂」，而是以別的什麼爲目的，這種「性目的」的分歧，不僅成爲「銷魂時分」嘈雜刺耳的變奏，而且直接導致了當事者的悲慘結局。

宋蕙蓮是西門家的奴婢，是西門慶男僕來旺的妻子，因爲生得「飛仙一般，甚可人愛」，「被西門慶睃在眼裏」（二十二回）。奴僕被主子看中，當然是求之不得的。西門慶照例是「因財求色」，宋蕙蓮這邊是「因色求財」，兩人在藏春塢雪洞裏度過了許多「銷魂時分」。

身爲主子的西門慶，以爲宋蕙蓮眞的傾心於他了，以爲她和他一樣，都是以「快樂」爲性目的，當然，奴婢趁機向主子索取點點錢財，也是順理成章的。西門慶沒有想到：對宋蕙蓮來說，在「銷魂」和「求財」的後面，還有一個更深的更基本的目的：爲她的丈夫和家庭。如蕙蓮自己所哭訴的「一夜夫妻百夜恩」，「相隨百步也有個徘徊意」（二十六回）。說到底，兼有「僕人」和「僕人之妻」雙重窮賤身份的蕙蓮，無非是想用自己的肉體和美麗，爲她的丈夫和家庭換取好一些的生活。

西門慶卻故作多情了。他不滿足於偷偷地讓蕙蓮當姘婦，他要長期地、公開地霸占她，甚至企圖讓她當自己的第六位妾。他謀劃著把來旺置於死地，他盤算蕙蓮會同意並支持他的計劃。哪知道蕙蓮一旦看透了西門慶的眞實意圖，就無所畏懼地公開出來保護她的丈夫。當然，她的武器就是她的身體，爲了救丈夫，她又睡到西門慶的床上……

在「性目的」之上，西門慶與宋蕙蓮之間發生了根本的分歧，而這一「分歧」又被潘金蓮利用了。西門慶設毒計陷害來旺兒，將其打入大牢。宋蕙蓮爲之閉門哭泣，茶飯不沾。西門慶覺得弄巧成拙，慌了神，一度曾想把來旺放出來。金蓮聞訊而至，對西門慶說：「你怎的逐日沙糖拌蜜與她吃，她還只疼她的漢子……把奴才結果了，你就摟著他老婆也放心。」（二十六回）旁觀者清，金蓮清楚地看到了西門慶與宋蕙蓮「性目的」的不同：後者是「疼她的漢子」；前者是「摟著他老婆也放心」。金蓮挑唆西門慶除掉來旺，表面上是爲西門慶著想，是讓他通過消除蕙蓮的性目的來實現西門慶自己的性目的；而深藏著的眞實意圖却是讓他們兩人的性目的都落空。金蓮知道：宋蕙蓮一旦失去丈夫，也就失去了她與西門慶之間的性的目的，就會離西門慶而去。

事實果然如此。西門慶在金蓮的挑唆下，寫帖子送財物讓夏提刑拷打來旺，然後將其遞解原籍徐州。宋蕙蓮終於絕望，又終於與西門慶決裂。她公開責罵西門慶：「你原來就是一個弄人的劊子手，把人活埋慣了，害死人，還看出殯的。」（二十六回）盡管西門慶派人百般勸誘，自己還親自出馬，但宋蕙蓮還是自殺了。這一悲慘的結局，宣告宋蕙蓮和西門慶的「性目的」均成爲「紙棺材」；而潘金蓮却利用他們二人性目的的分歧，達到了自己的「性目的」：不讓宋蕙蓮成爲西門慶的第六位妾，除掉一個情敵，而使自己「獨占」西門慶。

潘金蓮和西門慶都屬於性目的上的「銷魂派」。然而，他們兩人之間也有發生性目的之分歧的時候。西門慶曾在金蓮面前誇瓶兒的皮膚白，後來知瓶兒懷孕，更加明顯地表現出他對瓶兒的偏愛。金蓮對此大吃其醋，常常對西門慶冷嘲熱諷。西門慶爲之非常惱火，但他並不責罵金蓮，卻在與之性交時，故意採用一些病態的、殘忍的、甚至瘋狂的方式，對金蓮進行報復。有一次，竟弄得潘金蓮「目瞑氣息，微有聲嘶，舌尖冰冷……半天才蘇醒過來，頭目森森，莫知所之。」金蓮指責西門慶「這般大惡險，不喪了奴的性命？」（二十七回）將「報復」也視爲性生活的目的之一，亦即以性交之名行報復之實，大概也只有西門慶這種惡人才幹得出來。這是那個病態社會的醜惡，也是人類性生活的恥辱！

## 4.啓示：並非「題外話」

性生活，是人類生活不可或缺的重要組成部分。性生活質量的高低，直接影響到人類整個生活的質量。而在性生活的諸種構成因素之中，性目的無疑是一個重要的甚至帶根本性的問題。

遺憾的是，由於幾千年禁欲主義的傳統，直到今天，人們依然談性色變。床笫之事，屬於夫妻的「隱私」（甚至夫妻之間也羞於談及），如何敢公開議論？更不能作爲科學研究的對象。因此：

大多數哲學家寧願寫間接的交談，不願寫直接的交媾；寧願寫心靈哲學，不願寫肉體哲學……儘管他們對後一個主題有著超乎職業之外的興趣。⑨

人有心靈，也有肉體；人要交談，也要交媾。「交談」和「交媾」都是人際交往的主要方式；「心靈」和「肉體」都可以成爲哲學研究的對象。爲了使人類過一種眞正健康、清新、自然、有價值、有意義、有情趣的生活，我們應該也必須研究性，研究性的目的或實質。

從前兩節的論述中，我們已經看到：在那個醜惡而骯髒的社會，有些人用「性」去實現醜惡而骯髒的目標：西門慶用性去圖報復、洩私欲或者賺大錢謀大利；王六兒用性去圖錢財，等等。有些人則用「性」去換一點可憐的恩惠，爲家庭和丈夫謀一點可憐的「福利」（如宋蕙蓮），或者改變一下奴婢的地位，哪怕是在奴隸隊伍中將自己的位置挪動一下（如龐春梅）。

即使是「生育」和「快樂」這類性生活的正當目的，在《金瓶梅》所描寫的性生活中也被扭曲，被深深打上那個時代的銘印。「傳宗接代」，在私有制下的封建社會，不過是爲了延續丈夫的財產和統治，讓「夫爲妻綱」能世代相傳。同時，也是爲了忠孝大業，讓孝悌之事不至於後繼無人。因而，在西門大宅這類妻妾成群的家庭內，誰能傳種，誰就是皇后，妻妾們爲爭當「皇后」，費盡心機，明爭暗鬥，在溫情脈脈的家庭面紗後面，是劍拔弩張，你死我活。而西門慶們和潘金蓮們所追求的「快樂」，已如前述，是降格的快樂（將性交的雙方肉身化），變味的快樂（滲透著犧牲者的濁淚與血污），這種「快樂」，從根本上說，是應該被健全社會的健全的人類所唾棄的。

遺憾的是，我們今天的社會和人類還不是十分「健全」，舊時代的痕迹還處處可見。比如說，以求財逐利爲目的的公開或秘密的賣淫，依然存在；生育問題上的「重男輕女」，突出地表現出封建綱常倫理的特色；談性色變、諱言床笫之事的文化背景，導致夫妻性生活的平淡乏味，等等。另一方面，當今社會又產生了新的問題，避孕方法的日趨先進，享樂主義人世觀的日趨泛濫，使得即使夫妻的性生活，也並不以「生育」爲目的。在這種情況下，夫妻性生活是健康、活潑，還是程序化、機械化？所謂「快樂」，是否僅僅停留在「肉體」的層次，而離藹理士所說的「生命的愉快」和「精神的興奮」相去甚遠？夫妻雙方是否羞於甚至從不曾想到從床笫之事中追求靈與肉的快樂？而床笫之事究竟成了夫妻恩愛體貼、比翼雙飛的內驅力，還是成了他們反目爲仇、分道揚鑣的導火線？——這些問題都是頗值得探討和研究的；而且，就性哲學的角度而論，上述問題都與「目的論」相關。可見，建立正確的目的觀，對提高夫妻性生活的質量，乃至提高整個人類生活的質量，具有重大的意義。

上述一切，並非「題外話」，而是《金瓶梅》這部古代中國的「性學教科書」，給予當今中國性生活的一點啓示。

【附　註】

① 參見張敏筠編譯《性科學》第九—一〇頁，上海文藝出版社一九八八年版。

②見弗洛伊德著，林克明譯《愛情心理學》之「附錄」第一八六頁，作家出版社一九八八年版。

③見王明《抱朴子內篇校釋》第一五〇頁，中華書局一九八五年版。

④見薩特著，陳宣良等譯《存在與虛無》第五〇二頁，三聯書店一九八七年版。

⑤同註④，第五〇四頁。

⑥同註④，第四九七頁。

⑦見潘光旦譯註本第三七〇頁，三聯書店一九八七年版。

⑧同註⑦。

⑨見（美）阿・索伯編纂，鄭衞民等編譯《性哲學》第一頁，農村讀物出版社一九八九年版。

# 中編　金瓶梅「色」之心理學批判

## 引　言

三十年代，世界著名性心理學家藹理士（Havelock Ellis, 1859-1939），出版了他的代表作《性心理學》（Psychology of Sex），潘光旦先生旋即將該書譯為中文。潘先生的譯著共計三十多萬字，其中約三分之一（近十萬字）是譯者自己所作的注解。這些注釋迻錄了大量「中國的文獻與習慣中所流傳的關於性的見解與事例，……意在與原文相互發明，或彼此引證，也所以表示前人對於性的問題也未嘗不多方注意」①。平心而論，潘先生的這些注，徵引廣博（涉及經史子集、野史、筆記、小說、詩詞等不下百種）、時有評點（且不乏灼見真知），其學術（史料和思想的）價值，可與譯著的正文比美，對中國的性心理學研究尤其是一大貢獻。但奇怪的是，潘先生近十萬字的注釋中，竟無一字提及《金瓶梅》。潘先生從青年時代起，就致力於性科學的研究，而且將中國古典小說作為研究的突破口，他性學研究的成名之作就是《馮小青考》。因此，潘先生不太可能未讀過《金瓶梅》。那麼，是否認為《金瓶梅》不太正經，名聲太臭，而不屑從中徵引？此說並無有力之證據，只好作為一種推測了。

不管怎麼説，研究中國古代的性心理而不提及《金瓶梅》，無論從何種角度講，都是值得商榷的。作家的創作心理與其性欲（性心理）有不解之緣，就潛意識層次而言，文學作品是性心理的極為豐富的貯水池；從表層來看，文學作品為性心理學的研究提供了豐富而生動的資料。《金瓶梅》，作為一部大膽描寫性生活的長篇小説，其性心理學的思想和史料價值是不言而喻的。

就以藹理士的《性心理學》作參照系，該著所提及的幾乎所有的性心理現象和原理，在《金瓶梅》中都能找到相應的描寫。僅以西門慶為例，他的「喜聽淫聲」，即屬於「性的生物學」中「性擇與聽覺」；他「寶上珠也一般收藏」著來旺媳婦兒的鞋，則為典型的「物戀」；他鞭笞瓶兒、金蓮之裸體，又是性的「虐戀」；他的「淫書童」當然是同性戀中「性的逆轉」。《金瓶梅》不僅藝術地表現了人物的性心理，而且描寫了人物性心理的社會和環境的因素，揭示出性心理對人物性格的制約和影響。更為重要的是，上述一切，又從不同側面和層次，立體地再現出作者自己的性心理。再進一步説，從《金瓶梅》的性心理刻劃中，我們不僅看到性心理學之社會倫理的、經濟的乃至哲學的內涵，亦看到性心理學之藝術的、美學的實質。這一點，也是我們將「金瓶梅『色』之心理學批判」放在「中編」的原因之一。

在內部結構上，本編與上編基本相似，亦即本著與《金瓶梅》創作規律同步的原則。「性感過敏」實則揭示作者創作意圖之矛盾的性心理根源，與上編之首章互為表裡，遥相呼應；次章「性格與性心理」論述《金瓶梅》主要人物的性心理機制，反過來說，是從性心理的特定角度討論《金瓶梅》的人物塑造，這與上編之次章從財色關係之角度論人物塑造，可謂「異曲同工」、「殊途同歸」；末章談性變態，力求從人物異常之性行為中尋覓其心理歷程及其內在根源。考慮到《金瓶梅》之人物，大多有性變態之症狀（當然「病情」有輕重之別），故此章實際上是在一個更寬泛的範圍，討論性心理與人物性格刻劃的問題。如果說，上編末章是對前兩章的「深化」（亦即上升到哲學層次）；那麼，中篇末章則可視為對它前面兩章的一種「泛化」，從中見出性變態在那個病態社會的普遍性。

上編「引言」曾指出：該編的理論邏輯不僅與《金瓶梅》的創作規律同構，而且與性社會學的理論系統同步。本編亦力求在章次的結構上，反映出《金瓶梅》性心理學的一些基本規律。「性感過敏的兩端一致」是性心理學的一個出發點，它反映出《金瓶梅》作者對性問題的基本心理傾向；從這一點出發，作者一方面在「發展」的領域揭示人物性格的性心理機制，另一方面在「變態」的領域，表現人物的性心理特徵。《金瓶梅》性心理學的思想和史實資料非常豐富，而上述之「一個基本傾向」和「兩個領域」，不僅是《金瓶梅》性心理學之要點，而且相互構成一個大致的體系。

順便談談《金瓶梅》的性變態問題。嚴格地說，《金瓶梅》中的主要人物幾乎都是性變態者：西門慶與金、瓶、梅們的性亢進是一種變態，周秀、月娘的性冷漠也是一種變態（故第五章的西門慶「性優勢外射」和潘金蓮「性角色錯位」，也可視為兩類變態性心理）。但是，所謂變態與常態，異常與正常，又是相對的概念，這種「相對性」，尤其受社會的文化背景和風俗民情的影響。如花木蘭、祝英台，以女性身份從事男性工作，中國社會從古至今未曾視為異常，反而或讚為英雄或美為淑女。事實上，女扮男裝，是性變態之一種：裝扮異性症(transvertism)。潘金蓮身為女性，在性心理上卻有著男性的進攻和占有意識，人們多譴責其「淫蕩」，卻很少願意從性心理角度探討其變態基因。可見性心理在中國，與倫理觀難解難分，對性心理的科學研究，也或多或少受傳統禮教的制約。由此看來，潘光旦先生譯注《性心理學》，博引群書而獨不沾《金瓶梅》，又是可以理解的了。

# 第四章 性感過敏的兩端一致

## 1.「房中之事，人皆好之，人皆惡之」

有一首老和尚《叫春》詩：「春叫貓兒貓叫春，聽它越叫越精神，老僧亦有貓兒意，不敢人前叫一聲。」佛經內典有說：三十三天，離恨天最高；四百四病，相思病最苦。可見以禁欲爲己任的僧侶們，也有著「性」的欲求和痛苦。《金瓶梅》第八回，寫一群爲武大做水陸道場的和尚，見了如花似玉的潘金蓮：

一個個都迷了佛性禪心，關不住心猿意馬，七顛八倒，酥成一塊……

面對女色，他們情蕩心慌，打鼓的長老錯拿了徒弟手，搥磬的沙彌敲破了老僧頭，念經的把「武大郎」一念成了「武大娘」……更有甚者，和尚還偷看西門慶與潘金蓮性交，第二天眾和尚手之舞之，足之蹈之，拿床第之事取笑譏諷西門與金蓮。

世界上的宗教信仰，差不多都有「禁欲」的戒律。而事實上，「欲」却很難「禁」得住，原因很簡單，教徒們都是人，並非神：

譬如房中之事，人皆好之，人皆惡之，人非聖賢，鮮不爲所耽。②

僧侶們對「房中之事」也表示出濃厚興趣，就可以理解了。這群和尙雖然爲潘金蓮的美顏令色弄得「七顚八倒」，並津津樂道於慶、蓮的通奸；但當著潘金蓮西門慶的面，又施之以嘲笑諷刺，可見他們對「房中之事」是名符其實地既「惡之」又「好之」。

這種對性生活「好」「惡」兼有的心理，在《金瓶梅》中時時可見。某晚，西門慶欲與吳月娘行夫妻之事，月娘甚是厭惡，罵西門慶「好個汗邪的貨，教我有半個眼兒看的上。」然而，一旦眞的進入「妻子」的角色，月娘「亦低聲睥幃暱枕，態有餘妍，口呼親親不絕」（二十一回）。同一個月娘，差不多是在同一個時間內，對性生活表現出截然相反的兩種態度，而這兩種態度正是月娘性心理之矛盾側面的眞實外顯。

豈止是月娘，說到底，《金瓶梅》作者的性心理就充滿了矛盾·他一面不乏激情不無讚賞地描寫男女主人公或正常或異常的性生活，一面不乏嚴厲不無憤懣地用「詩云詞曰」譴責他們性的放縱；一面用詩一般的詞句描寫金蓮的「風流」、瓶兒的「白淨」、蕙蓮的「飛仙一般甚可人愛」，一面聳人聽聞地將「花面」、「玉體」、「綺羅」統統視爲「金剛」、「魔王」、「豺狼」；一面說「好色的事體」會使人「油枯燈滅，髓竭人亡」，一面用「偷情滋味美」、「暢美不可言」、「靈犀一點，美愛無加」之類的贊詞去評點那些「好色的事體」……

欣欣子的序，對《金瓶梅》作者性心理的矛盾，作了很好的理論描述，他首先指出「凡一百回，其中語句新奇，膾炙人口，無非明人倫，戒淫奔，分淑慝，化善惡」，但他又不得不承認，在《金瓶梅》中，「鬢雲斜軃，香酥滿胸，何嬋娟也；雄鳳雌凰迭舞，何殷勤也；……佳人才子，嘲風咏月，何綢繆也；鷄舌含香，唾圓流玉，何溢度也；一雙玉腕綰復綰，兩只金蓮顛倒顛，何猛浪也。」一邊是要「明人倫戒淫奔」，厭惡乃至批判性的放縱；一邊却是對性放縱的繪聲繪色有血有肉的描寫，以至達到一連串「何……也」的藝術效果。《金瓶梅》何以要自相矛盾？欣欣子的序作了回答：「房中之事，人皆好之，人皆惡之。」

第一章「德色論」已指出《金瓶梅》作者創作意圖的矛盾，就性學的領域而論，這種矛盾主要表現爲「禁欲」與「縱欲」的衝突。生活於明代末年的作者，不可避免地要受到「存理滅欲」的程朱理學和「好貨好色」的左派王學的雙重影響，正統道學家的「禁欲主義」與異端思潮的「縱欲主義」，在作者頭腦中共存且相互爭鬥，如前所述，這種哲學以及倫理思想的深刻矛盾，在《金瓶梅》中表現得頗爲明顯。

生活於特定時代的人，必定受那一時代特定的哲學和倫理思想的影響，這已是人所共知的事實。問題是：同一個人，爲什麼會同時受到截然相反的兩種倫理觀和哲學觀的雙重影響？雖然本書上編已在性社會學的領域討論了這一問題，但此問題的最終解答還有待於性心理學層次的研究。如果說，前者是追尋客觀原因，那麼後者則是更進一步覓求主觀原因。

《金瓶梅》的人物塑造，以及通過人物塑造等藝術手段所表現出來的作者的創作意圖，都充分說明，在同一個人的性心理中，可能同時存在對「性」的兩種截然相異的態度或傾向。這種共存於人們性心理中的好、惡傾向，與當時共存於社會思潮中的「縱欲」、「禁欲」之倫理觀，形成一種異質同構：前者是後者的內在之心理基因；後者是前者的外顯之倫理形態。「縱欲」與「禁欲」，是一對無法調和的矛盾，它們之所以能同時影響並且共存於同一個主體，究其根本原因，是因爲主體的性心理中，有著與之相適應的另一組矛盾對立面：「好之」與「惡之」。

那麼，再進一步問：人之性心理，爲何會同時共存兩種傾向？換言之，「房中之事，人皆好之，人皆惡之」，作爲《金瓶梅》性心理的一個事實（或現象），它的心理依據或根源又何在？它在性心理學上具有何種理論和實踐意義？

## 2.「癡心做處人人愛，冷眼觀時個個嫌」

食、色，性也。飲食與性，是人類兩大欲望，但二者又有很大區別。食欲的滿足，可以單獨完成；而性欲的滿足，則需要一個對象（現實中的或想像中的）。由於需要對象，則必然涉及到一系列的問題，因此，人類對性欲的追求和滿足，較之對食欲的追求和滿足，不知要複雜多少倍。

這種複雜性，首先表現在心理層次。食的飢餓，在心理上一般只能激起單一的反應：嗜好和追求；性的飢餓却有可能引出複雜的甚至是背道而馳相互矛盾的心理反應：對性的厭惡與對性的愛好。西門慶在妓院與李桂姐鬼混，半月不回家，後來偶然看見月娘雪中拜斗，爲夫祈禱，才想到與她同房。當時處於性飢渴中的月娘面對西門慶的性要求，却始而厭惡，繼而銷魂，其心理反應前後矛盾。和尙，一般說來無性生活可言，故被稱爲「色中餓鬼」。對他人的性生活，和尙們是背地裏偷看，又公開地嘲諷。

用性心理學的眼光看，處於性飢餓狀態中的月娘和衆僧，在心理上都患有性過敏症。正如藹理士所說：

> 對於性事物的畸形的恐怖或憎惡，和畸形的愛好，一樣的是建築在過敏狀態之上。③

何謂性感過敏？人的性能力，往往指向兩個極端：一端是性能不足（在男子叫「陽痿」；在女子叫「陰冷」）；另一端是性感過敏，亦即對性事物非常敏感，它可能會表現爲性能强大，但更多的是表現爲對性事物的「畸形的憎惡」或「畸形的愛好」。性感過敏，作爲一種性心理症狀，自有著先天的因素，在一般的性生活中，或多或少都有著性感過敏的表現。但是，較爲典型的男女性感過敏，則起因於這樣一種環境：它「一面增加性的刺激，而一面對於性的衝動却又多方阻撓，不讓它有適當的表現」④。前面提到的月娘和衆僧，則大致生活在這種情境之中。比如說月娘，雖然是西門慶的正妻，但事實上却極少有機會與丈夫過性生活；她主觀上還是想清心寡欲，爲衆妾衆婢作表率，但她又偏偏生活於人欲橫流的社會和性生活放蕩不羈的家庭，她耳聞目睹了太多的「好色的事體」，受到了太多「

性的刺激」，而她自己連正常的性衝動都無法得到「適當的表現」，故「性感過敏」就在所難免了。

龐春梅在被吳月娘掃地出門後，與守備周秀結爲夫妻。新婚燕爾，二人情投意合，性生活甚是和諧美滿。周秀雖有一妻二妾，但只是偏愛春梅，並冊封她爲「首席夫人」。後來，周秀出使邊關，夫妻常年分居，雙方的性衝動都受到阻撓，性欲望都無法滿足。於是，周秀和春梅都成了「性感過敏」的心理症患者，但是二者的表現却迥然相異：周秀成了一位「清敎徒」，他不僅告誡妻子春梅要「每日在家清心寡欲」（九十九回），而且自己從此開始禁欲，甚至在與春梅久別重逢再度團圓之後，依然「房幃色欲之事，從不沾身」（一百回）；春梅呢，雖然「每日珍饈百味，綾綿衣衫，頭上黃的金，白的銀，圓的珠，光照的無般不有，只是晚夕難禁獨眠孤枕，欲火燒心」（一百回）。如果說，周秀的「性欲」還可以爲「軍情國務」所替代，而春梅的「性欲」却是什麼東西也無法替代的。處於性飢餓中的春梅，開始不擇手段地尋求性的滿足。她歷盡艱難，將陳敬濟弄到守備家裏，二人姐弟相稱，瞞著周秀縱欲玩樂。陳敬濟死後，她又主動勾引僕人李安，未遂；繼而勾引周義，二人「朝來暮往，淫欲無度」（一百回）。

周秀春梅這對夫妻，同樣是「性感過敏」，其心理反應及具體表現却是背道而馳的兩端。從性心理學的角度講，這「兩端」又是「一致」的。潘光旦先生在爲《性心理學》所作的注中，有一條單講這「性感過敏的兩端一致」，甚是精彩，逐錄於斯，以饗讀者：

意大利社會思想家柏瑞篤（Vilfredo Pareto）發揮行爲動因之說（theory of residues），說甲乙兩人的言詞舉措雖有不同，甚或完全相反，而其言行的動因也許是同樣的一個。例如一個淫蕩的人，開口閉口，總說些穢褻的話，而一個持禁欲主義的道學家則不遺餘力的反對一切性的言動，認爲凡屬性的言動總是齷齪的或有罪孽的，甚至於專找這種言動來做他的抨擊的對象——

——這兩個人的動因只是一個，性的飢餓！⑤

潘先生所引柏瑞篤的話，對周秀和春梅這兩個人的性感過敏，可謂是絕妙的注腳！從此「注腳」中，我們對「兩端一致」的心理基因或根源，無疑會有更形象的把握、更深刻的理解。

鄭振鐸先生曾說《金瓶梅》的作者「大抵他自己也當是一位變態的性欲的患者罷」，因爲他「是那末著力的在寫那些『穢事』。」⑥我們同樣可以說，《金瓶梅》作者也當是一位性感過敏的患者，不僅因爲他著力地描寫了一些對性過敏的男女以及他（她）們的「過敏反應」，更重要的是，從性心理的角度看，整部《金瓶梅》，簡直就是一份有關「性感過敏」的「病歷」，亦即用藝術的手法記錄了「性感過敏」者的心理歷程。

作者對「房中之事」的好惡心理，突出地表現在，《金瓶梅》一邊津津有味繪聲繪色地描寫性感情欲的細節，一邊振振有詞義正辭嚴地對他描寫的對象作道德譴責倫理批判。在上面所引《性心理學》的那條譯注中，潘光旦先生接著說：「根據性感過敏的理論，可知從事『淫業』的人，和從事於『戒淫事業』的人，可能是一丘之貉；而後一種人的過敏的嫌疑更是來得大，因爲經濟的理由不能假托，而道德的理由可以假托」⑦。《金瓶梅》的作者，可謂一身而兼二業：用他的那枝筆，一邊從事「

淫業」，一邊從事「戒淫業」，既非爲「經濟的理由」（誰付他稿酬？），又並非完全爲了「道德的理由」（他滿可以去寫一本「十訓八誡」之類的書）。

上編「德色論」在談到禁欲主義的反射作用時，曾指出，《金瓶梅》大量的性描寫不僅沒有喚起讀者的情欲，反而倒了讀者的味口，以致使讀者對性描寫產生厭惡感。這一閱讀心理本身就含有性感過敏的因素，而導致讀者性感過敏的，是作者自己的性感過敏，當然，後者是藝術地溶化於作品之中。當作者描寫男女主人公的性活動時，他是如此醉心於斯，以至自己也進入了角色。和他筆下的人物一樣，他也處於性的興奮之中，也體驗著那狂風驟雨似的情欲和性感，他的靈魂也受著欲火的煎熬，他的肉體也遭了愛河的浸泡。欣喜愉悅之感自然而生，於是在詳盡甚至瑣細的描寫之後，還要來一段「贊美詩（或詞）」，還要情不自禁地高叫「暢美不可言！」

但是，一旦他走出角色，一旦他將那些性描寫作爲客觀對象來審視評論，他的心理天平馬上傾斜於另一邊，他的「性感過敏」馬上呈現「厭惡」症狀。於是，他又出爾反爾、自相矛盾地用「詞曰詩云」批判他剛才描寫的性感故事，用成套的道德說教申訴他的禁欲主張。對於他「性感過敏」的矛盾的「兩端」，作者自己在《金瓶梅》中作了最好的解釋：

癡心做處人人愛，冷眼觀時個個嫌。（五回）

月娘和周秀在書中都是有「德」之人，在性的問題上，他們基本上持正統的「禁欲」態度。但是，當他們自己處於性生活之中（亦即「癡心做」）時，並非沒有快樂之感、歡喜之情，否則月娘就不會「

態有餘妍」，周秀也不會「一連在春梅房中歇了三夜」；而一旦他們處於性生活之外（亦即「冷眼觀時」），心理感受則完全不一樣，月娘罵西門慶「好不汗邪的貨」，罵潘金蓮「沒廉恥，趁漢精」，罵瓶兒「淫婦」，周秀自己「不沾色事」，還要求春梅「清心寡欲」。倘若將性交之事比作演戲，同一個人，當演員時如醉如癡，美不可言；當觀衆時則反感厭惡，甚至仇視憤慨。

《金瓶梅》中那些「癡心做」著的男男女女，不管各人抱著什麼樣的「性目的」，一般而言，他們在性的交接中，還是能夠獲得生理快感甚至心理愉悅。他們的性生活，不管在旁人看來多麼不合禮儀，多麼醜惡、變態、甚至瘋狂，而在當事者自己的心理感受中，「喜愛」的成份還是占多數，否則，他們又何苦冒天下之大不韙，去進行非法非理的性活動？作者大約是深知當事者們的性心理，所以才會在具體的描寫中如此動情，如此亢奮。但是，男女主人公的性交往，一旦成爲觀賞的客觀對象，情形就大不一樣了，雖然不排除有部分讀者從性描寫中「止看其淫處」⑧，甚至「生效法心」⑨，但是稍有生活閱歷和美學趣味的讀者，對《金瓶梅》之中的性描寫都會不同程度地產生厭惡甚至噁心之感。

後一種心理反應當然有著較爲復雜的原因，比如：《金瓶梅》性描寫本身的瑣碎、單調、千篇一律所帶給讀者的厭倦感；性交接的變態、瘋狂對讀者正常心理的扭曲；性關係的違理亂倫、糜爛荒淫而爲讀者的倫理情感所無法接受，等等。但就性心理的層次而言，讀者（包括作者自己）還是由於「性感過敏」而導致「冷眼觀時個個嫌」。

我們在「德色論」中，曾根據讀者對《金瓶梅》性描寫的厭惡心理，而揣度作者可能有「以淫戒淫」、「以毒攻毒」的創作意圖。而性感過敏的兩種症狀，又從性心理的深潛層次，加强了這一「揣度」的合理性和可信性。人們常把性交比作一種藝術，那麼性交的雙方，則是「藝術家」。而這類「藝術家」的「作品」，實在是只能自我欣賞，而不宜也不該讓他人欣賞。所謂「作品」，並不形成於「創作」之後，而就在「創作過程」之中。這一「過程」能給「創作者」帶來快感、樂趣、愛情和幸福；而「過程」一旦形諸文字或訴諸旁人的感官，其效果就大不相同了。

有一位西方性學專家，將性交視爲個人的「隱私」：

性關係是，也應該是，隱私的避難地，在這裏應該允許我們把那被踐踏了、破碎了的意識聚於一種不受侵犯的狀態和寧靜中。……這時，我們可能在不斷的掙扎、失敗中，在令人熱血狂奔的私語中，在身體姿勢和腦中意像裏發現我們自己。在黑暗裏和不斷的驚奇中，每一次摸索，每一絲眼神都應當屬於我們自己。⑩

看來，《金瓶梅》的作者侵犯了性交者的「隱私」。或許，他原來就不該寫那些床笫之事，他早就該想到他這本「以淫戒淫」的書會永遠地被戴上「淫書」的帽子。但他還是寫了，寫了性交者的「隱私」，寫了性感過敏者的「愛」和「嫌」、「好」和「惡」，雖說是給文學評論家和倫理學家出了一道難解的題，却給性學研究者留下了大量難得的資料和啓迪。

## 3. Chastity：新的「一致」

性感過敏的「兩端」，在心理感受上分別表現爲「好」（或「愛」）與「惡」（或「嫌」）；在行爲上則表現爲「縱」與「禁」。藹理士《性心理學》指出：由性感過敏所導致的禁欲與縱欲，「是兩個動蕩而各走極端的狀態」，這種動蕩狀態，「像鐘擺一樣，既擺到了東，便不能不擺到西，這其間有自然的物理的限制。」⑪所以，中世紀基督教的禁欲主義，導致了生活與文學中的縱欲（前者如「騎士現象」，後者如「十日談」），在中國亦有類似情況；反過來，生活與文學作品中的縱欲，又使一般人見到禁欲的必要，從而制定更嚴格的禁欲戒律，程朱理學提出「存天理滅人欲」，與宋明兩代上層和民間性的放縱不無關係；再反過來，「存理滅欲」的戒律，起反射作用，導致新的縱欲（《金瓶梅》之問世便是明證）。「性感過敏」的鐘擺，永無止境地在「禁」與「縱」之間擺來擺去，它破壞了人類性心理的平衡，它導致人類性生活的失調。

顯然，性感過敏的「兩端」，雖說是客觀存在的性心理現象，但畢竟是不可取的。對性的道學家的態度，如果不是一種虛僞（一種性的寒酸和性的假仁假義），至少是一種不近情理的約束和禁律。性欲，畢竟是人的正當欲望，因此，無論出於何種目的（或如月娘式的「夫爲妻綱」、「從一而終」，或如周秀式的「君爲臣綱」、「王事靡盬」），對自己或他人實行「禁欲」，都是對人性的扼殺，對生命的戕賊。另一方面，對性的放縱，如果不是一種瘋狂的病態（如西門慶、潘金蓮之流），至少也是一種有害於生命和靈魂的淫佚和放蕩（如陳敬濟、龐春梅之流）。特別是《金瓶梅》中的一些「色情狂」，將自己的性快樂建築在他人的痛苦甚至犧牲之上，而最終帶給自己的也是痛苦甚至死亡。這種「縱欲」，與「禁欲」可謂殊途同歸：同樣是戕賊生命、扼殺人性（於人於己都是如此）。

魯田貝克在為弗洛伊德《性學三論》所作的「引言」中指出：「『性』是人身上最難控制，故而也最需繫勒的力量。」⑫因為「最難控制」，故滑向性的放縱；又因為「最需繫勒」，故實行性的禁戒。由此看來，「縱欲」和「禁欲」又是可以理解的了。「控制」也罷，「繫勒」也罷，都是一種外在的、強制性的約束，它們很難達到一種內在的性心理的平衡或性生活的自然和諧。

我們說過，「性感過敏」的「兩端」，起於「性飢餓」的「一致」；既然這「兩端」都不可取，那麼我們能否在二者之間找到某種聯接點，使其達到新的「一致」？

藹理士認為：在「縱欲」與「禁欲」這動蕩的兩極之間，有一個平衡狀態，他稱之Chastity⑬。這個詞的中文意思包括「貞潔、純潔、高雅、樸實」等等。為使之符合中國國情，潘光旦先生酌譯為「貞節」⑭。一看到「貞節」這個字眼，讀者自然會想到封建倫理觀，想到程朱理學的「餓死事小，失節事大」。其實，Chastity與我們中國人所熟知的封建的「貞節」觀是有區別的。就使用範圍而言，後者專指女性，而前者適用於性的雙方；具體含意更不一樣：理學的「貞節」觀，重點在「貞」，即婦女要無條件地「從一而終」，否則就是「失節」；Chastity的「貞」有「高雅、純潔」之意，主要指愛情的專一和純潔、美好；「節」，則是對一己之性欲的自我調節，既不過於泛濫，也不過於拘謹，而是使其和諧自然。比如，寡婦鰥夫，若追懷舊時情愛，不忍心將舊情新移，也是可以理解的（胡適先生那篇著名的《貞操問題》即持此論）；若要追求新的愛情，雖然不「貞」，但仍有「節」，更應該贊賞。所以說藹理士的Chastity是主張一種以純潔高雅之愛情爲基礎的自然和諧的性生活，它既不是那種出於宗教信仰或倫理教條的外在的强制性的禁欲，也不是那種毫無節制、毫無情感內涵的縱欲。性感過敏的兩端，一般來說，既無「純潔之愛情」，又失去了「自然和諧」。如果經過必要的心理調節，將這兩端導向新的一致：Chastity，「性感過敏」就可能由「消極的狀態」而變爲「積極的德操」，就可能「在身心兩方面，對於性衝動有一個熟慮的與和諧的運用，而把這種運用認做生活的一大原則」⑮。

性行爲也是生命一種現象，一種需有規律的生理功能，如《金瓶梅》所說：「一己精神有限，天下色欲無窮。」書中那些超越常規近乎瘋狂的性行爲，盡管有著反禁欲主義的一面，但作爲另一種極端，與「禁欲」一樣，也是對生命價值的危害。如何既能使人的自然情欲得到正常渲洩，而又不至於泛濫成災，這就需在性心理自我調節的基礎上，將性感過敏導向新的「一致」：Chastity。這種新的「一致」，不僅是一種最佳的性心理狀態，從而有益於人的身心健康，而且更進一步說，它還能導致「性欲的昇華」。

「昇華」（Sublimation），是弗洛伊德率先在性心理學領域使用的，他在《「文明的」性道德與現代人的不安》一文中這樣解釋：「涓涓不絕的性本能，……當它受阻時，能轉移其目標而無損其強度，因而爲『文化』帶來了巨量的能源」⑯，也就是「將性的能源移開性對象，投入更高級的文化活動」⑰。本書所講的由Chastity所導致的 Sublimation，與弗氏的「昇華」不盡相同。我們說的「昇華」，有兩層含義。就第一層含義而言，它並不是性目標（或性對象）的轉移，而是指性行爲本身。由於性行爲達到Chastity的境界，所以性行爲者能夠將生理的快感經由心理的愉悅，而昇華爲精神的美的享受，也就是我們前面談到的「性」是一件「藝術品」，性行爲的雙方是「藝術家」。英國作家勞倫斯的名著《查太萊夫人的情人》，用詩一般的語言描繪出男女主人公性行爲中的心理感受和精神境界，便是我們所說的性欲昇華的第一層意思。《金瓶梅》中的性行爲以變態的居多，故多給人以「審醜之感」（詳下編），較難昇華到美的精神境界。

對於性能強大者來說，性欲的昇華還不足以消耗掉他「涓涓不絕的性本能」，在這種情況下，則需要弗洛伊德「轉移式」的昇華——這便是「昇華」的另一層含義。因爲Chastity是一種有分寸的節制，是將有害於社會更有害於個人身心健康和審美情感的情欲節制住。而被節制住的那部分性的能量，得有個正經去處：「投入更高級的文化活動」。《金瓶梅》的作者大約也是個性能強大者，或者是因爲性欲受阻，或者是對性欲進行自我調節，而最終將其「昇華」，寫成了一部不朽的《金瓶梅》。如果說他沒有完成第一層意義上的昇華，那麼他無疑實現了後一層意義上的昇華。

誠如弗洛伊德所說，「能將性欲昇華而貢獻社會的人，終究是少而又少」⑱，所以，對絕大多數人來說，還是應該去實現第一種「昇華」，亦即性行爲本身的昇華。《金瓶梅》的男男女女，大多將「性感過敏」導向「縱欲」的一端，他們既沒有進入Chastity的境界，更無法「昇華」，他們的性行爲多半停留在肉體的層次，不僅有著精神上的醜惡性，而且有著對生命價值的危害性。西門慶、龐春梅等人都是以肉體的放縱毀滅了自己的肉體。

《金瓶梅》的時代已成爲歷史。但在我們這個於各方面都並非盡如人意的當今社會，一般人由性飢渴導致的性感過敏，也難免走向「禁欲」或「縱欲」的極端。於是，我們特別需要性心理的Chastity。

【附註】

① 潘光旦「譯序」，見《性心理學》第六頁。
② 欣欣子《金瓶梅序》。
③ 見藹理士著，潘光旦譯《性心理學》第三八九頁，三聯書店一九八七年版。
④ 同註③，第三八八頁。
⑤ 見《性心理學》第四二五頁，注一〇六。
⑥ 見胡文彬選編《論金瓶梅》第五九頁，文化藝術出版社一九八四年版。
⑦ 同註⑤。

⑧ 張竹坡《金瓶梅讀法五十三》。
⑨ 東吳弄珠客《金瓶梅序》。
⑩ 見鄭衞民等編譯《性哲學》第一一六頁，農村讀物出版社一九八九年版。
⑪ 潘光旦譯注本第三九二頁。
⑫ 見弗洛伊德著，林克明譯《愛情心理學》第七頁，作家出版社一九八八年版。
⑬ 見藹理士《性心理學》第三八九—三九三頁。
⑭ 同註⑬，第四二五—四二七頁。
⑮ 見藹理士《性心理學》第三九〇頁。
⑯ 見弗洛伊德著，林克明譯《愛情心理學》第一七〇頁。
⑰ 同註⑯，第一七五頁。
⑱《愛情心理學》第一七七頁。

# 第五章　人物性格的性心理機制

性格塑造是作者實現創作意圖的根本途徑，遵循此創作規律，上編在「德色論」（討論《金瓶梅》作者創作意圖的內在矛盾）之後，接著用「財色論」探討作品人物之關係；與此類似，中編在覓求了作者創作意圖內在矛盾的心理根源（亦即「性感過敏的兩端一致」）之後，繼而剖析人物性格的性心理機制。略有不同的是：「財色論」側重人物性格的外顯形態（即人際關係），而本章則重在探尋人物性格的內在基因——這一「外」一「內」，大約就是性社會學與性心理學的一大區別吧。

人物性格分析，是文學史家和文學批評家的拿手戲。在「以階級鬥爭爲綱」的年代，所謂「人物分析」，成了「政治鑑定」，或「正」或「反」，或「好」或「壞」，標簽醒目，性質清白。到了八十年代，「階級鬥爭」不爲「綱」了，但「貼標簽」式的人物分析依然故我：發表於一九八〇年年底的一篇評介《金瓶梅》主要人物的文章，用的小標題是：「惡霸西門慶」、「壞女人淫婦潘金蓮」、「幫閑幫凶馬屁精應伯爵」、「假仁義賤貨李瓶兒」、「無恥廢物的公子哥兒陳敬濟」，甚至連有德之人吳月娘亦不能幸免：「陰險主婦吳月娘」……①。後來有論者不服氣，專門寫了一篇文章，斷定吳月娘是「正面人物形象」②。

在這類文章中，我們目睹的與其說是「性格分析」，倒不如說是「操行評語」。改革開放的年代，文藝觀念與方法不斷更新，單向、線型的「政治鑑定法」，逐漸爲多向、圓型的「心理分析法」所取代。後者的理論價值在於：人物性格的分析，由偏重外在的階級、政治、倫理屬性到兼顧甚至著力於人物內在精神的探索或心理基因的剖析，從而將作品中的人物還原成有血有肉有哭有笑有美有醜的活生生的「人」，而非乾巴巴硬梆梆甚至可以通用的「符號」。

可見，即使在文藝學領域，心理分析的方法，對於人物性格研究乃至對於文學批評，都有著不容忽略的意義。我們雖然是在性心理學領域剖析人物性格，亦即描述人物性心理基因的性格外顯，但我們研究的對象畢竟是文學作品中的藝術形象，因此從廣義上講，我們所進行的工作也是一種文學批評。更進一步說，狹義的文學批評，分析人物形象，是爲了把握作者的創作意圖和整個作品的思想及藝術價值。我們探究人物性格的性心理基因，與文學批評的性格研究，可謂殊途同歸。只不過，前者的側重點在於「性學」而非「文藝學」，具體而言，是把握作者創作意圖中的性觀念，進而把握整個作品的性心理學內涵及其在性學中的心理學價值。

張竹坡認爲《金瓶梅》所寫的人物，生機靈趣，有血有肉，「眞是生龍活虎，非耍木偶人者。」③那些個「生龍活虎」的軀體和靈魂，他們的喜怒哀樂，舉止言行，自有其複雜的心理因素，而結合《金瓶梅》大膽寫性行爲性心理的實際來看，在人物性格之心理因素的諸多層面中，性心理是一個重要的機制。無論是西門慶，還是金、瓶、梅，抑或月娘、敬濟、蕙蓮、周秀，其性格的圓型組合中，均或多或少有著性心理的內在機制和驅動。於《金瓶梅》的衆多人物中，我們挑選出兩位角色（男、女各一），試作其性格的性心理分析。

## 1. 性優勢外射：「秉性剛強」與「隨風倒舵」

《金瓶梅》雖以三位女性的名字命名，但「一號主人公」非西門慶莫屬。「西門慶爲此書正經番火」，「作者心頭固有一西門在內不曾忘記」④。書中幾十處性描寫，十之八九是西門慶唱主角，而他與金、瓶、梅等女性的性關係，反映出他性格的各個側面，而每一側面又不是彼此孤立，而是相互糾纏，構成西門慶的性格整體。

西門慶初在書中登場時，作者說他「狀貌魁梧，性情瀟灑」（一回）。金蓮初次見到他，印象是「生得十分浮浪」，「越顯出張生般龐兒，潘安的貌兒，可意的人兒，風風流流」（二回）。西門慶的「瀟灑」、「風流」突出表現在他有著瘋狂的性欲望和強大的性功能，二者惡性循環，愈演愈烈，以至於他在金、瓶、梅們的心目中，有著他人無法比擬的「性優勢」，所謂「嘲風弄月的班頭，拾翠尋香的元帥」（二回）。

西門慶與潘金蓮可謂一見如故，如魚得水，書中寫道：

這婦（指金蓮）與張大户勾搭，這老兒是軟如鼻涕膿如醬的，一件東西幾時得個爽利。就是嫁了武大，看官試想，三寸丁的物事，能有多少力量。今番遇了西門慶，風月久慣，本事高強的，如何不喜。（四回）

所謂「爽利」、「力量」、「本事」，無疑指性的功能，在這方面，張大戶和武大郎，當然不是西門慶的對手。

與潘金蓮相類似，李瓶兒之所以看上西門慶，並幾經周折終於嫁給他，一個重要的因素，也是西門慶有著性優勢。還在二人私通時，西門慶曾問李瓶兒：「當初花子虛在時，也和他幹此事不幹？」瓶兒答：「他逐日睡死夢死，奴那裏耐煩和他幹這營生……誰似冤家這般可奴之意，就是醫奴的藥一般，白日黑夜教奴只是想你。」（十七回）後來楊戩被參，西門慶避禍，未顧得上娶瓶兒，瓶兒便許嫁蔣竹西，蔣買了些淫具淫藥，「實指望打動婦人，不想婦人在西門慶手裏，狂風驟雨經過的，往往幹事，不稱其意，漸生憎惡」。瓶兒砸了那些淫器，罵蔣竹山「你本蝦鱔，腰裏無力，平白買將這些行貨子來戲弄老娘，把你當塊肉兒，原來是個中看不中吃，臘槍頭，死忘八。」乾脆不與蔣同床，一心只想西門慶（十九回）。「腰裏無力」的孱弱男人，又怎能與「狂風驟雨」的風月老手相比。所以瓶兒一經西門慶首肯，便忙不迭地自嫁到西門大宅，心甘情願當排行最末的妾。

從書中的描寫還可以看出，差不多每一位與他性交的女性，都能從中得到異乎尋常的性快感，用李瓶兒的話說「一經你手教，奴沒日沒夜，只是想你。」

性心理學認爲，男性的性能强大，主要表現在兩個方面：一是進攻意識强，二是有韌性、能持久。具體而言，在性行爲中，男子始終採取主動進攻的態勢；同時，爲了實現性功能，男子必須勃起，並且必須在達到情欲高潮之前一直保持那樣的狀態，亦即男子必須證明自己具有使女方得到性滿足的保持勃起的能力。進攻性和持久性，這兩大性心理基因，西門慶同時具備。只不過在他身上，「進攻性」是一種本能，多一些自然成分；而「持久性」則主要是人爲，多半靠那些淫藥淫具來維持來加强。分析西門慶的性行爲，不難看出：西門慶的性優勢，實則由兩大心理機制綜合而成：一是强硬、果敢的進攻意識。他整日裏獵色逐艷，一旦發現中意的對象，便立即發動攻勢，或開門見山、單刀直入，或行賄施惠、引人上鈎，或迂迴接近、托媒婆牽線找狐朋引荐……在具體的性交接中，更是積極進攻，始終掌握性的主動權；二是柔韌、起伏的彈性意識。在情場上，他並非總是一帆風順馬到成功。若遇到挫折，他既不氣餒，又能靈活機動，娶瓶兒的前前後後，便是一例。上述兩大心理機制在西門慶性心理中，相互融和，渾然一體：「進攻意識」加强了「彈性意識」的堅韌性；反過來，後者又使前者具有應變力而經久不衰。

弗洛伊德指出：「我們所謂一個人的『性格』，一大部分建塑自性興奮的材料」⑤。西門慶性心理的進攻意識和彈性意識，在他的性格建塑中，是兩塊重要的「性興奮材料」。而這兩塊材料又分別形成西門慶性格的兩大主要側面：「秉性剛强」（一回）和「隨風倒舵」（二十六回）。

上編的「財色論」，曾談到西門慶是「財壯色膽」。反過來也可以說「色壯財膽」：他在情場上的成功，對於他在商場乃至官場上的冒險，有著强烈的刺激作用。這一現象的心理內涵，就是西門慶性心理的進攻機制，外化爲他性格的果敢、剛烈、殘酷、貪婪。

十七、十八兩回詳細描寫了楊戩被參事件。京都八十萬禁軍提督楊戩被宇文虛參倒，西門慶的女婿陳敬濟是楊戩黨羽陳洪的兒子，事發後，敬濟帶著許多箱籠床帳和五百兩銀子來西門家避難。西門慶一面毫不客氣地「把箱籠細軟都收拾月娘上房來」，一面毫不猶豫地派來保、來旺二人上東京打點。所謂「打點」，就是打聽消息，然後層層送禮，直至見到負責此案的李邦彥，並向李行賄五百兩金銀。結果李邦彥將「欽犯」名單中的「西門慶」改作賈慶，使西門慶化險爲夷。事後，西門慶頗爲得意地對月娘說：「早是使人去打點，不然怎了？」這件事的確表現出他的辦事果斷、有心計，所謂「秉性剛强，作事機深詭譎」（一回）。楊戩倒後，他果斷地改弦易策，巴結上蔡太師，給蔡京送「生辰擔」，給蔡的管家翟謙送漂亮女郎，終於爲自己買來一官，由「一介平民」榮升爲提刑副千戶，不久又變「副」爲「正」。

作爲一個商人，西門慶的進攻意識和殘酷性格更多地表現在他的經商活動中。七十九回寫西門慶得知朝廷派給山東收購二萬兩銀子的古器，他當機立斷，決定獨攬這筆大買賣，並馬上給山東巡按御史送去十兩葉子黃金，去換「批文」，讓宋御史把這筆古器買賣批給他。六十七回寫商人李智、黃四欠西門慶銀兩，應伯爵告訴他徐太監現在插足進來，恐怕會發生銀錢爭執，勸西門慶三思而行。西門慶發狠道：「我不管什麼徐內相、李內相，好不好我把他小廝提留在監裏坐著，不怕他不與我銀子！

」一副凶惡狠毒之形象躍然紙上。無論是做藥材、綢布生意，還是向朝廷購買三萬鹽引以獲取鹽業專賣權，抑或放債收債定貨發貨，西門慶都是主動進攻，果斷獲勝。即使把握不大的事，也不猶豫，所謂「寧可賣了悔，休要悔了賣」（八十一回）。正是這種積極進取、精明幹練的經商決策，使得西門慶在「商場」財源茂盛，生意興隆。

源於性心理之「進攻型」機制的剛强殘忍性格，不僅表現在官場的較量和商場的競爭之中，更表現在情場的追逐本身。爲占有潘金蓮，而毒死武大郎；爲占有李瓶兒，而氣死花子虛、毒打蔣竹山；爲占有宋蕙蓮而陷害來旺兒……如此狠毒、殘酷，「就是個弄人的劊子手，把人活埋慣了」（二十六回）。在性的交接中，他雖然以他特有的瘋狂方式，給女性以異乎尋常的性快感，但所謂「異乎尋常」，則必然包含肉體的痛苦和精神的折磨，在這方面，西門慶又是「打老婆的班頭，坑婦女的領袖」（十七回）。作爲西門大宅的一家之長，在處理家庭糾紛、人際關係時，西門慶亦不乏凶狠乾脆。他聽說他的第三位妾孫雪娥與家人來旺私通，立即打了她一頓，並拘了她頭面衣服，只叫她伴著家人媳婦上灶，不許她見人（二十五回）；又比如，聞金蓮與琴童私通，聞瓶兒許嫁蔣竹山，西門慶均勃然大怒。五十九回寫金蓮的貓捕食官哥，將孩兒唬個半死，西門慶聞訊趕來，怒火萬丈，一把將貓摔死。連他的「哭」，也是凶狠式的：瓶兒死時，他「手拍胸膛，撫尸大慟，哭了又哭，把聲都哭啞了」，甚至「在房裏離地跳的有三尺高，大聲號哭」（六十二回）。

西門慶在書中出場時二十七歲，淫喪時三十三歲。六年光陰，他出入於官場、商場和情場，無論是經商、鑽營、還是胡鬧，他總是躊躇滿志，鬥志昻揚，始終保持著那種「勃起狀態」。而且爲了使自己滿意，也爲了使他人滿意，他竭盡全力延續此種「勃起狀態」，保持他「勃起的能力」，用吳神仙的話說，他「一生盛旺快樂」（二十九回）。然而，正在他「盛旺快樂」的時候，就已埋下「衰竭苦痛」的種子。値得指出的是，他多半靠著胡僧的淫藥和五花八門淫具維持他的「勃起能力」，這種非自然的人爲的「勃起」，逐年累月戕賊著他的生命，終於使他縱欲身亡。西門慶在「情場」上一倒下，房下們風流雲散，「官場」上爭得的武職被他人襲取，「商場」上賺得的幾萬產業亦盡屬他人。情場上的性優勢，植根於進攻型的性心理機制，後者形成性格上的果敢、凶狠、殘酷、貪婪。這種「秉性剛强」則成爲他在人生三大戰場頻頻取勝的重要因素。然而，隨著他在情場上再也不能勃起，他的一切「剛强」及其一切「成果」，立即化爲烏有，恰似他西門大官府燃放的烟火，須臾間，「總然費盡萬般心，只落得火滅烟消成煨燼」（四十二回）。

西門慶的性格是個矛盾混合體：一面是「秉性剛强」，另一面是「隨風倒舵」。西門慶與瓶兒私通，潘金蓮始而吃醋，繼而表示理解、容忍，西門慶對此十分感激，他對金蓮說：「養兒不在屙金溺銀，只要見景生情。」那意思是：我養活你們，並非要你們去賺錢，而是要你們「見景生情」。所謂「景」，當然不是自然風景，而是日常生活中的具體情景或事件，「見景生情」就是要根據事件的具體情況，隨機應變，見風使舵。這裏的「情」，可視爲一種心理調節能力，亦即不斷調節自我與環境或他人的關係。「見景生情」是西門慶對妻妾的要求，也是他性格另一面的自我寫照。

前面曾提到，西門慶聽說李瓶兒背著他許嫁蔣竹山，不禁勃然大怒。爾後瓶兒自嫁到西門家，西門慶一連三天不理她。後來在鞭笞瓶兒時，聽她哭訴原委，西門慶馬上轉怒爲喜，將瓶兒那些半眞半假的話全部信以爲眞。此時此刻，他又顯得如此輕信、隨和，富於理解和同情。金蓮與琴童私通之事，西門大宅內人人皆知，西門慶本欲懲罰金蓮，但聽金蓮一番詭辯，竟相信「私通」是他人編造，相信金蓮是無辜的了。金蓮太了解他了，說他是「雷聲大，雨點小」，「你若順順兒，他倒罷了」（四十一回）。

這位惡魔般凶殘的大官人，有時又是如此無主見，如此優柔寡斷。在處理「來旺事件」時，西門慶的這一性格側面表現得尤爲突出、充分。來旺出差回來，聽說其妻與西門慶私通之事，乘醉大罵西門慶。金蓮將此事告知西門慶，西門慶頓時火起。可是次日來旺妻蕙蓮爲夫開脫，西門慶的火氣馬上就消了，並決定繼續重用來旺，再派他去做生意。金蓮聞訊，在西門慶耳邊灌了一通「欲要占有蕙蓮，則需剪草除根」的毒計，西門慶又變了卦，不但不讓來旺做生意，而且設計陷害來旺，使其身陷囹圄。蕙蓮一番哭訴、哀求，西門慶動了惻隱之心，決定寫信讓夏提刑釋放來旺。剛準備動筆，金蓮跑過來一番挑唆、勸阻，西門慶再度變卦，立即寫信給夏提刑，要他將來旺往死裏打。蕙蓮稱他是「謊神爺」，金蓮稱他是「隨風倒舵，順水推船的行貨子。」（二十五、二十六回）。如此舉棋不定、反復無常、出爾反爾、毫無主見，與那個秉性剛强、果敢固執的西門慶，幾乎判若兩人。

西門慶是個「弄人的劊子手」，可是他有時又顯得溫柔多情。瓶兒的孩子死了，西門慶百般解勸，並讓人把孩子生前戲耍過的物件全部拿開，以免瓶兒睹物思人（五十九回）。瓶兒病重，他捨命相陪；瓶兒夭折，他痛不欲生；瓶兒死後，他長期保存一個完整的「瓶兒世界」……

柔情與凶殘，隨和與固執，寡斷與果敢，輕信與自信，這些矛盾的對立面，魔法般地統一在西門慶的性格中，究其根源，仍然與性心理有關。放縱情欲，是西門慶生活的根本目標和主要內容，因此，女性在他的生活中，有著非常重要的位置，他要實現並保持自己的性優勢，他要隨心所欲地放縱，就得籠羅女性，親熱女性，贏得女性的心。在女性面前，他顯得有些隨和、輕信，尤其輕信他所鍾愛的女人（如金蓮、瓶兒、蕙蓮），幾句甜言蜜語，就可以使他回心轉意、化怒爲喜，並改變已作出的決定。而且說到底，他的「隨風倒舵」與他的「秉性剛强」一樣，都是爲他的「性目的」服務的。在「來旺事件」上，顚來倒去，一會兒倒向金蓮，一會兒倒向蕙蓮，其實都是爲了一個目標：長期霸占宋蕙蓮。而金蓮、蕙蓮的主意，雖然迥別，但在西門慶看來，與他自己的目標並不矛盾，所以才導致他的舉棋不定。當時，月娘也勸他不要將來旺解官，西門慶深知月娘的目的是要他少幹「貪財好色」的壞事，於是他「聽言圓睜二目，喝道：『你婦人家不曉道理！』」（二十六回）。同樣是這個西門慶，當初爲討好月娘，與之同房，「在月娘面前折叠腿裝矮子……眞個涎臉涎皮的」（二十一回）。從他蹩腳的表演中，不僅看出他爲了性目的，如何喜怒無常，而且可以看到，這個整日混迹於女人堆中的男子，多少有些女性氣。

西門慶的秉性剛强，導源於他性心理機制中的「勃起意識」。然而，「勃起」，畢竟是階段性的，其中必定有「痿縮」相間。可以說，沒有「痿縮」就不會有「勃起」，前者是後者的必要前提和補充。而西門慶「隨風倒舵，順水推船」的性格內涵，正是他性心理機制中的「痿縮意識」。痿縮與勃起的相間，形成了性格的矛盾統一。如果說，西門慶的性優勢，建築在他性心理之「痿縮」與「勃起」兩大意識的相間之中；那麼，他在人生戰場上的節節「勝利」，與他性格之「秉性剛强」與「隨風倒舵」兩大側面的統一密切相關。西門慶的死，直接原因，是他在性放縱中，「勃起」的時間和强度，遠遠超過了他生理和心理的承受能力。超常態超規律的「勃起」，導致他生命的完結；而生命的結束，又使得他的一切「勝利」都成爲夢幻、虛空。從中，我們再次看出性心理機制對於人的性格乃至人之整個命運的制約作用。

### 2.性角色錯位：「不戴頭巾的男子漢」

潘金蓮第一次見到武松，便傾心於他，並百般調情，怎奈武松那廝坐懷不亂，絕不上鈎，弄得金蓮分外尷尬。臨別時，武松又將金蓮數落一陣，金蓮火起，直道：

> 我是個不帶頭巾的男子漢，叮叮噹噹響的婆娘，拳頭上也立得人，胳膊上走得馬。（二回）

金蓮這番話的本意，是向武氏兄弟表白，她並非是武松說的那種浪蕩女人，而是有骨氣有膽量正兒八板的，像個男子漢。——這當然是當面扯謊、自欺欺人。但是，如果換一個角度來看，金蓮的這段「

自我鑑定」又是眞實可信的。

不同性別的人，其性心理有著明顯的差異，這是人所共知的常識。男性，不僅是性行爲的發動者，而且從「性衝動」到「性高潮」的這段時間，又主要靠男性的「勃起能力」來維持。不管男女雙方有多麼熾熱的情欲多麼强烈的性要求，如果男方缺乏勃起的能力，那麼性的行爲和快感則終究是一句空話。男性在性生活中的主角地位，使得其性心理具有明顯的主動性、進攻性、和「自我中心」意識。在整個性交接過程中，他關心的是自我，是自我的勃起能力，是他在女性眼中的自身價值。這種性心理就造成了男子爭强好勝，出人頭地，主動進攻，以及凶狠、貪婪、好動等性格特徵。女性呢？一般來說，在性行爲中處於被動地位，扮演配角，因此她主要關注男子的性能力，即使她也在意自身的魅力，其目的還是爲了進一步激起對方的能量。因爲她知道，她是否能獲得性的快感和滿足，起決定作用的還是男子的勃起能力。女性的這種性心理特徵，造就了溫柔、體貼、好靜、甘當配角、甘願爲他人犧牲，遇事多設身處地等等女性性格特徵。

然而，在潘金蓮身上，我們却很難看到女性的性格特徵。她在性生活上的主動姿態、進攻意識、占有（或獨占）心理，她的好强、逞能、凶狠、暴戾甚至殘忍，與西門慶是何其相似。在潘金蓮身上，發生了「性角色錯位」：她在性生活中有意無意地扮演了男性的角色，從而具有了男性的性心理和性格特徵，她眞正是一個「不戴頭巾的男子漢」。

在性的追逐上，《金瓶梅》之中的女性，幾乎沒有誰比潘金蓮更主動、更積極、更無倫理的束縛。她一見到武松，就向他進攻：置酒、撥火、暗逗、明挑，直到碰一鼻子灰（一回）；與西門慶也是一見鍾情。西門慶原料想勾引上金蓮會費一番周折的，因此他還與王婆精心策劃，設想「勾引」過程中可能發生的種種意外，並預先制定對策。哪知道，潘金蓮比西門慶更積極更熱心，簡直是還未見魚餌就主動上鈎了（三回、四回）。不久，金蓮進了西門大宅。雖然成爲西門慶正式的妾，但與之過性生活的機會，反倒沒有從前當姘頭時多了。西門慶妻妾成群，屋內屋外，還有諸多的情婦、妓女。有時西門慶在妓院鬼混，十天半月不回家，家中妻妾，別人還不在意，惟獨潘金蓮無法忍受。一般而言，主動進攻、單獨占有是男性特有的性心理，而這兩點，在金蓮身上表現非常突出。常常是一見西門慶在家中露面，金蓮就將他拖入自己房中，主動要求性交，恨不得一年三百六十五天，夜夜獨占西門慶。書中寫道：「金蓮見漢子進她房來，如同拾了金寶一般」（三十三回），「見西門進房來，天上落下來一般」（四十四回）。對潘金蓮的「獨占意識」及其行爲，月娘最爲憤慨，一次月娘對瓶兒說：「你看她昨日那等氣勢，便來我屋裏叫漢子，……恰似只她一個人的漢子一般，就占住了。不是我心中不惱，他從東京來家，就不放一夜兒進裏邊來。」（七十二回）一位「小妾」，膽敢從「正妻」的眼皮底下，把漢子「搶」過去，足見金蓮進攻意識之强、占有欲望之烈。

在西門大宅的眾妻妾中，潘金蓮算是來路最邪（有毒死親夫的劣行）、私房最微（當初與西門慶相戀時只能蒸點「面角兒」款待情夫）、實權最少（連孫雪娥還任著「廚下總管」的要職）、人緣最差（大約只有春梅一個「知己」）。然而，正是這個金蓮，好勝心最强，出人頭地、逞强爭勝的欲望最烈。進西門大宅後，她在女人堆中事事出挑，用西門慶的話說「嘴尖舌快的，不管你事也來插一腳」（四十三回）。她一天到晚手不停腳不停心眼不停，「顛寒作熱，日夜不得個寧靜」（十一回）。在同衆妻妾的爭鬥中，她挖空了心思，耍盡了手腕。金蓮首先揀了個軟弱可欺的孫雪娥作爲進攻對象，雪娥只不過在丫環面前自稱了一聲「四娘」，金蓮便大加諷刺：「這一家大小誰與你誰數你誰叫你是四娘？」（五十八回）她激怒雪娥，然後挑撥西門慶怒打雪娥。瓶兒進西門大宅後，很得西門慶寵愛，加之又生了個官哥兒，更是成了西門家的「明星」，金蓮對此當然不會無動於衷。她首先挑撥瓶兒與月娘的關係，然後散布謠言，誣陷瓶兒，更惡毒的是處心積慮，暗算瓶兒幼子，終於使瓶兒痛喪愛子，最後病至不起訣世而去。打敗雪娥和瓶兒之後，金蓮乘勝追擊，將矛頭直指「正妻」月娘，有一次竟和月娘大哭大鬧，滾地撒潑，自打嘴巴，鬏髻撞落一邊，好似領了十萬兵馬殺到朝廷來了（七十五回）。然而，這一次她低估了「正妻」的力量，儘管耍盡無賴，仍然敗在月娘手下。

爲了實現她「獨占西門慶」的性目的，爲了爭奪在西門大宅內的「明星」地位，潘金蓮可謂不擇手段。她作踐秋菊，强迫秋菊頭頂石頭跪在雪地中，其殘忍狠毒，連西門慶也略遜一籌；她百般挑唆，陷害來旺夫婦，硬是逼著西門慶將來旺置之死地，最終使來旺妻自殺身亡；爲迫害瓶兒，她更是心狠手毒，連無辜的孩兒也不放過……她「性極多疑，專一聽籬察壁」（十一回），她伶俐乖巧，擅長挑撥離間。撒謊、報復、暗算、虐待、兩面三刀、口蜜腹劍……——這些常被男人用於人生戰場的惡毒卑劣之手段，這位「不戴頭巾的男子漢」，這位西門大宅的「巾幗英雄」，在她的「人生戰場」中，也全部用上了，而且用得如此嫻熟，如此得心應手、成效顯著。

性角色的錯位，標志著潘金蓮這位女性具有男性的性心理；而男性的性心理機制，導致金蓮的性格之中，頗多男性特徵。金蓮性心理乃至性格的男性化，一方面使她的狠毒邪惡極度膨脹，另一方面，又從客觀上强烈衝擊了那個以男性爲中心的封建等級社會。我們曾指出，個體婚制是父權制取代母權制，女性淪爲奴隸，淪爲生兒育女的工具。在封建社會，身爲女人，該有多少必須遵從的綱與德，那些虛設的名分又毀掉過多少女子的青春和生命。於此視女性爲草芥、以男性爲君主的不平之世，潘金蓮能以男性自居，無視綱常禮教，如此主動又如此無畏。四十六回寫月娘勸金蓮卜個卦，金蓮斷然拒絕：「我是不卜他，常言算的著命，算不著行。想前日道士說我短命哩……隨他明日街死街埋，路死路埋，倒在洋溝裏就是棺材。」何等坦然，何等瀟灑。她的勇氣她的激情，以及她「淫蕩」中透出的旺盛生命力，與她的狠毒邪惡一樣，讓人驚諤不已。

古典文學作品中，具有「性角色錯位」特徵的女性，潘金蓮並非第一人，如替父從軍的花木蘭，寒窗苦讀的祝英台，都是以女子之身而在生活中扮演男子的角色，而且或多或少具有男性的性心理和性格特徵，如祝英台在愛情上的主動進攻、花木蘭在戰場上的勇猛剛强以及她建功立業的才幹等等。這些都說明性角色錯位所導致的男性性心理，對於女性性格特徵的影響。但是，就人物性格的美學意義來說，潘金蓮與前二位又不盡相同：花木蘭、祝英台作爲「正面形象」，無論是道德倫理還是精神品質，都爲女性樹立了一種楷模，雖然有一種較抽象的典型性，但對以男子爲中心的封建等級制却缺乏有力的批判力量；而潘金蓮這個「反面形象」，以她的主動無畏和狠毒邪惡，以她的至惡至醜，給予「夫爲妻綱」的傳統道德和等級制度以全方位的衝擊。

當然，潘金蓮性格中「醜」的一面是絕不容忽略的。單說她的殘忍，就到了「害死無辜孩童」這樣一種令人髮指的地步。多少年來，「潘金蓮」幾乎成了「壞女人」的代名詞，並非完全沒有道理。在潘金蓮的性格中，由性心理錯位導致的種種醜惡，既有衝擊傳統道德觀念的一面，也有該受倫理譴責的一面，而潘金蓮這個藝術形象的美學價值，正存在上述「兩面」之間。

【附註】

① 見胡文彬編選《論金瓶梅》第四三一—四四八頁。
② 見趙景深主編《中國古典小說戲曲論集》(二)第二九三—三〇五頁，上海古籍出版社一九八七年版。
③ 見《張竹坡評點金瓶梅》五十九回夾批。
④《張竹坡評點本金瓶梅》第三回回評。
⑤《愛情心理學》第一一一頁。

# 第六章　性變態者的心理歷程

性變態(deviation)，又稱「性異常」、「性歧變」，或者叫性倒錯(inversion)，在性科學(尤其是性心理學)中，這是一個非談不可的問題，幾乎任何一部關於性學的書，都繞不開這個難聽又令人難堪的專有名詞。

性變態有狹義廣義之分。狹義的性變態，專指其性行爲不採用一般之異性間生殖器交媾，而以其它異常方法獲得性快感，或者是性對象的歧變(如戀物症、同性戀)，或者是性快感獲取方式的異常(如暴露症、虐待——被虐待症)；廣義之性變態，除了包括狹義的內容之外，還指性欲望和能力的非常態或非正常，這又有幾種情況：或者是性欲以逸出常態的强力發生異常的狀態，謂之性亢奮、性過敏，或者是與之相反，謂之性冷漠、性缺乏(陽痿與陰冷)，或者是性的早熟，或者是性的衍期(亦即到了本該停止性欲的老年，反倒再度亢進)，等等。

無論是狹義還是廣義，《金瓶梅》都堪稱「性變態大全」。其人物，多是性變態者：西門慶、陳敬濟與金、瓶、梅就不用說了，王六兒、如意兒、書童、畫童等男女僕人，較之他們的主人，其性異常的程度也並不遜色：其性交接方式，五花八方，千奇百怪；其性行爲性心理性意識的種類，幾乎囊括了迄今爲止人類性科學能夠表述的一切性變態之細目。僅此一方面，就足以見出《金瓶梅》這部文學名著的「性學價值」。

上一章談人物性格的性心理機制時，已涉及到性變態的內容，如西門慶的性優勢，其實質就是「性亢奮」；潘金蓮的性角色錯位，也可稱作「裝扮異性症」（transvertism）——二者分別爲廣義與狹義的性變態。魯田貝克指出：「對於反常性行爲迄今缺乏認眞的社會學探討，……由此，我們或可間接明白何以社會科學家對最近數十年美國人性格的轉變一直未能有更多的了解。」①可見性變態與人物性格密切相關。我們運用現代性心理學的觀點和方法，系統研究《金瓶梅》的性變態描寫，一方面有助於對作品人物性格的了解和把握，另一方面更有助於從《金瓶梅》這部「性學教科書」中發掘出深刻的性心理學理論，從而豐富和發展具有中國特色的包括性心理學在內的性科學。——後一點，正是本章的根本意旨。

## 1.「欲火難禁一丈高」

《金瓶梅》第十二回，寫西門慶貪戀妓女李桂姐，半月不回家，「家中婦人，別人猶可，惟有潘金蓮這婦人青春未及三十歲，欲火難禁一丈高」，忍無可忍，竟然同年僅十六歲的男僕琴童發生性關係。如果說西門慶是一個男性色情狂，那麼潘金蓮則是典型的女性色情狂。她的「欲火難禁一丈高」，恐怕並非完全是因爲「青春未及三十歲」，西門慶的幾位妾，年齡不相上下，瓶兒比金蓮還要小。少婦懷春，性欲旺盛，也是情理之中的事，但潘金蓮的性欲望和性能量，已大大溢出正常或常態的境界線，遠遠地進入了變態或異常的領域，除了一般的年齡因素，更有著生理與心理的緣由。

性亢奮，屬廣義性變態之一種，俗稱爲「淫亂」或「色情狂」。其生理原因又分體質（或器官）的和精神的兩種。由於體質發生障礙的多屬中樞性病態，也有屬末稍性障礙的（例如陰部發癢、濕症及神經病等）；因精神作用力的興奮變爲異常活潑的狀態，則有歇斯底里、瘋顚等等②。在潘金蓮身上，「體質障礙」和「精神作用」兩種病態同時並存。她曾對西門慶說起，在性生活中，「只是一味熱癢不可當」（五十一回），又稱性飢渴時，「只是害冷腿兒」（七十二回），顯然都屬於體質方面的末稍性障礙。精神方面的症狀更爲明顯，只要看看她與月娘吵架時，如何撒野、如何自打嘴巴、如何滿地打滾，看看她如何虐待毒打秋菊，就明白潘金蓮多少有些歇斯底里症狀。

體質（器官）的末稍障礙與精神的歇斯底里，二者相互交錯，互爲刺激，便形成潘金蓮性亢進的生理、心理緣由。孫雪娥在月娘面前評論金蓮：「淫婦說起來比養漢老婆還浪，一夜沒漢子，也成不的。」（十一回）此話並不誇張。西門慶在家時，她百般糾纏，或者軟求，或者硬拖，只要西門慶能滿足她變態的欲望，她什麼事也幹得出來（有一次竟然飲西門慶之溺）。西門慶不在家，她就另想辦法，或者淫琴童，或者私通陳敬濟。西門慶淫喪，尸骨未冷，她就與陳敬濟公開勾搭上了。她不斷地尋求性刺激，終日沉浸在無休止的性追求之中，她頻繁性交，雖然也能獲得快感（所謂「美快不可言也」），達到性高潮，但是不僅未能絲毫滿足她的性欲望，反而刺激起更大的欲望，挑起更猛烈的性亢進。從性心理上說，潘金蓮的性欲望永遠也無法滿足。因其性角色的錯位和性心理的變態，她走進了性亢進的怪圈：變態心理誘發異常欲望，渴求超常刺激；而刺激的獲得、性欲的解除，又導致新的欲求，加劇性心理的變態。於是，又開始下一輪惡性循環。她永遠也走不出這個怪圈，如果武松不來「拯救」她的話。她應該「感謝」武松，後者讓她死了個乾淨利落，否則，她會像春梅那樣，弄得「生出骨蒸癆病症……消了精神，體瘦如柴」而死。

在「性亢奮」這一點上，能與潘金蓮「匹敵」的男性，非西門慶莫屬。潘金蓮是「一夜沒漢子也成不的」，西門慶更是不能一夜沒有性生活。有一次西門慶上東京送禮，獨宿在蔡太師管家翟謙家裏，他「一生不慣那一晚，好難捱過也，巴到天明」（五十五回）。西門慶的性行爲，不僅頻率高、强度大，而且方式怪異，具有明顯的變態特徵：什麼「隔山取火」、「倒入翎花」、「金彈打銀鵝」、「老和尚撞鐘」、「品玉」、「倒澆燭」……無所不用其極，無所不用其怪。儘管西門慶夜以繼日，淫佚無度，頻繁地更換性對象和性交方式，他的性欲望仍然無法滿足，同潘金蓮一樣，他也走進了淫佚怪圈，只是無人「救」他，最後「腎囊脹破，龜頭生瘡……相火燒身……喘息半夜，巳牌斷氣」（七十九回）從生理上說，西門慶直接死於性亢進，與潘金蓮是殊途而同歸。

男性色情狂多起於强迫性神經症，無休止地追求性欲的滿足，在腦子裏形成占壓倒優勢的觀念，主宰其整個心身。我們說過，性的追逐，是西門慶人生的主要目的和生活的主要內容，即便是一夜沒有性的行爲，他也無法忍受。他縱欲無度，雖然時時有性的快感，却怎麼也滿足不了他瘋狂的性欲望。他常常處於雜亂的、強迫性的性放縱的激情狀態，有時甚至無暇選擇性的對象。家中的妻妾、奴僕，屋外的妓女、蕩婦，甚至徐娘半老的林太太，滿身稚氣的小男僕，均可成爲他進攻的目標、瀉欲的工具。有時候，西門慶性行爲的衝動性，與發情期的動物無甚區別，他簡直就是一個性變態動物，或者說是一台性交機器。

一般而論，西門慶與妻妾的關係，建立在性的變態交接之基礎上，他忙於無止境的、超常態的性交，無暇向妻妾表示愛情。然後嫖娼。然後玩弄男童。他的墮落史，實際上是性變態的發展史，是性亢奮的演進史，是性欲求的惡性循環史，從中可以看到一位性變態者的心理和行爲軌迹。

值得指出的是，西門慶的性亢進，除了精神上的強迫性神經症以及貪婪成性等主觀原因之外，還有一個重要的客觀原因：性藥物和性器械的使用。西門慶隨身帶著一個淫器包兒，內中有什麼「銀托子」、「硫黃圈」、「白綾帶」，還有什麼「封臍膏」、「顫聲粉」、「胡僧藥」……性的衝動與行爲，本是源於人的自然欲望和對異性的情感，西門慶當然無多少「情感」可言，連本能的欲望，有時也要靠外在的藥物來激發；勃起的能力，還要靠工具來維持鞏固，這本身就是違反自然、有悖於正常的，是典型的變態或歧變。藥物和工具的使用雖然能奏效於一時，但帶給對方的是肉體痛苦和精神折磨，帶給他自己的是更大的貪婪、更烈的欲望。對於他的「性墮落」，這無異於推波助瀾，快馬加鞭；對於他的「性毀滅」，又等於火上澆油，落井下石。

《金瓶梅》的另外兩個人物：陳敬濟、龐春梅，其性亢奮是分別傳西門、金蓮之衣鉢。陳敬濟在西門宅內，同時與金蓮、春梅淫亂，超常態的性欲，使得他常常不分場合、不究方式，與金蓮相遇，站著就可以性交（五十三回）。被攆出西門大宅後，窮極潦倒（甚至一度淪爲乞丐），無財去求女色，只好靠同性戀洩欲，先是在晏公廟與管帳的大徒弟金宗明，後是在冷鋪與乞丐頭子韓林兒。被春梅「收養」後，與春梅在「兄妹」的幌子下放縱情欲，不久又勾搭上韓道國的女兒韓愛姐。龐春梅當丫環時，性欲還未溢出常態：琴師李銘對她動手動腳，她還大罵李銘（二十二回）；金蓮爲收買她，強迫她與敬濟性交，她還「把臉羞得一紅一白」（八十二回）。一旦由奴婢升爲守備夫人，從前有意無意壓抑住的情欲，如火山爆發，而且一發而不可收。性冷淡的丈夫，永遠滿足不了她異常的欲望，她到處尋找陳敬濟，將他「養」在家中，以解其欲。陳死後，又主動勾引僕人周義，居然「鎭日不出，朝來暮往，淫欲無度」，直至「體瘦如柴」還依然「貪淫不已」（一百回），算得上捨身忘死，以身殉「淫」。

西門與金蓮，敬濟與春梅，都是「欲火難禁一丈高」，其性亢進之程度與方式，大同小異；其結局，亦彼此相似：西門、春梅直接死於縱欲（所謂「淫喪」）；敬濟、金蓮則因爲淫亂而被人所殺。《金瓶梅》作者如此安排結局，當然是出於「戒色懲淫」、「善惡報應」的目的；我們從性學的角度看，這樣一種歸宿也是合情合理、有科學根據的。性的欲望和行爲，作爲生理和心理的現象，有著它的規律和限度，違背了規律，逾出了限度，就會自取其咎，超常規的性行爲必然導致非正常的死亡或衰竭；另一方面，變態的淫亂因其破壞正常的人際關係而常常導致仇恨甚至凶殺。由此看來，現代性科學將性亢進列爲性變態之一，是有充分理由的。

## 2.「打老婆的班頭，坑歸女的領袖」

西門慶的性變態，既表現於「亢奮」，又表現於「虐待」。性虐待，又叫「虐戀」或「疼痛淫」(algolagnia)。當然，虐戀沒有主動被動之分，而性虐待是主動的虐戀，西方叫「沙德現象」(Sadism)。Sadism濫觴於法國一部描寫性虐待的小說，作者就叫沙德(Marguis de Sade, 1740-1814)，據稱，他自己也有著性虐待的經歷。一般認爲：凡是向性對象加以肉體的或精神的虐待或痛楚，並以此使自己獲得性的快感，都可稱爲性虐待。

西門慶性虐待的方式，主要有兩種，一是「笞打淫亂」，一是「懸股淫亂」。前者在《金瓶梅》中發生過兩次，一次對李瓶兒，一次對潘金蓮。花子虛死後，西門慶決定娶瓶兒爲妾，連房間家俱都準備好了，正要商辦婚娶，不料京城楊戩被參，西門慶嚇得不敢出家門。一月後瓶兒自作主張許嫁蔣竹山，西門慶對此頗爲惱怒。幾經周折，瓶兒還是進了西門大宅。西門慶先是三天不見「新娘」，直至「新娘」自縊未遂，他才初入洞房，「新婚」夫妾第一次見面，西門慶便起虐待之意：强迫瓶兒脫光衣服，裸體跪在他面前，然後他高高舉起皮鞭……第二次是鞭笞金蓮，因爲她在西門慶外出時，與琴童私通。西門慶的兩次笞打虐待，從表面上看，都不是直接起因於性的欲望，但仔細分析前因後果，却又是地地道道的性虐待。

瓶兒在與西門慶商定婚娶後，却中途變卦改嫁他人；金蓮瞞著西門慶與琴童私通——儘管她們兩人各自都有充足的理由，但在西門慶看來，二人的性行爲是對他的背叛，是對他的性優勢和性權威的蔑視甚至反抗。我們在前一章談過：西門慶的性優勢形成「秉性剛强」與「隨風倒舵」的矛盾性格，而「隨風倒舵」包含著軟弱、猜忌、多疑，「秉性剛强」則包含專制、暴力、恐嚇——所有這些性格特徵，從性心理學的角度看，都爲性虐待者所特有，或者說是性虐待行爲的個性基因。西門慶自恃有錢有勢，又有超常的性能力，他以爲經他淫過的婦女，便會對他產生「性臣服」心理，從此永遠忠於他。而在這自信的深處，他又影影綽綽地有些心虛、膽怯，因爲他的性優勢多半是靠藥物和器械來勉强維持的。這種「自信」與「心虛」的混和，使得他對性對象的反應十分敏感，並且絲毫不能容忍對方的冷漠、輕視和背叛。潘金蓮是他最親密的性伙伴，居然也心懷叵測；李瓶兒是如此溫柔軟弱的一個女性，居然經不起考驗，失信於他——這當然使他無法忍受，一方面是威脅了他的專制和暴戾，同時更觸痛了他性格深處的膽怯、心虛。因此，西門慶對她們二人施行性虐待，就不可避免了。

西門慶舉起鞭子笞打金蓮、瓶兒，在笞打中已獲得性的亢奮；金蓮與瓶兒，或狡辯、或哭訴，或「曉之以理」，或「動之以情」；西門慶放下鞭子，一把摟住金蓮（十二回），抱住瓶兒（十九回）

……於是，我們看到：起因於懲罰、報復和洩怨的鞭笞，成了性亢奮的契機、性行爲的前奏——性虐待實現了它性衝動的目的。

西門慶使用的「笞打淫亂」，是一種典型的性虐待方式。古代宮廷內的淫亂就多屬這種笞打淫亂症；而且它還與宗教的鞭笞贖罪(flagellation)密切相關，所以「笞打淫亂」的英文名稱叫flagellatism。人類對笞打淫亂的研究，從十八世紀就開始了，普遍認爲此種性虐待，大部分是受心理和環境的影響而被誘發的病態，一般不含體質或器官的因素③。西門慶的兩次笞打似可作爲此論點之成立的旁證。沙德在他的小說中也認爲鞭子是對精神的一種刺激，笞打是一種受潛意識支配的行爲④。西門慶笞打金蓮、瓶兒，直接導源於性心理變態，實質上是以一種强硬、殘暴的方式，掩蓋其軟弱、膽怯；以一種無情、冷酷的手段，達到調情洩欲的性目的。

如果說西門慶的「笞打淫亂」還只是性行爲的前奏，那麼「懸股淫亂」則貫穿於性行爲之中，或者說就是性行爲本身。這是一種怪誕殘忍的性交方式，差不多爲西門慶所「發明」或「獨創」：將女性的雙足分開，吊在床架的兩根柱子上(或者是葡萄架的兩邊)，使雙股呈懸掛狀。然後，西門慶從異常的姿式和方法中，從對方的肉體痛楚中，獲得性的快感和欲的滿足。與「懸股淫亂」相類似的性虐待，還有：在女性身體上燒香，火炙其肉體；强令對方飲其溺，並無恥地詢問「味道如何」；强迫對方採用各種荒唐怪僻的姿勢，發出一些令人肉麻的聲音，等等。

西門慶的性虐待，儘管方式千奇百怪，種種色色，但究其實質，都是通過給女性以肉體的痛苦和精神的折磨，來獲取性的衝動和滿足。潘金蓮曾說他的性虐待「這般大惡險，不喪了奴的性命」（二十七回），可算是切膚之感；蔣竹山稱他為「打老婆的班頭，坑婦女的領袖」，更是一語中的（十七回）。不說他的謀財害命，單是他的虐待女性，就該千刀萬剮、油煎火燒。

就性變態的領域而言，有虐待狂，也有被虐待狂，虐待狂通過施虐獲得快感，被虐待狂通過受虐獲得快感。潘金蓮幾乎每次都被西門慶整得死去活來，但她仍然對西門慶窮追不捨，仍然或軟求或硬奪更猛更凶的「挨整」的機會，原因很簡單，她從那「死去活來」中獲得了性的滿足（當然是一種變態的滿足）。王六兒甚至主動要求西門慶吊足、燒香，除了有討好、巴結的心理之外，主要的還是企圖從異常的方式中獲取異常的快感。

嚴格地說，施虐與受虐是一個整體，是一件事情的兩個方面。沙德是施虐戀者，但他又承認他身上並不乏受虐的心理傾向。雖然「受虐戀」的發明者馬瑣克（Sacher-Masoch, 1836-1895）比沙德晚出近一個世紀，但性心理學仍然習慣於將施虐（Sadism）與受虐（Masochism）合稱為「虐待——被虐待症」（Sado-masochism）⑤。又因為施虐和受虐者都是在一種生理和精神的疼痛中發生性的衝動，並獲取性的快感，故「虐待——被虐待症」又被稱為「疼痛淫」（algolagnia），潘光旦先生將algolagnia譯為「虐戀」，「虐」後著一「戀」，大約是強調其「雙邊」或「兼備」的內涵。一個巴掌拍不響，施虐與受虐相對而並存，此為「雙邊」（如西門慶與瓶兒、金蓮）；有時，施虐與受虐的兩種角色集於一人之身，此為「兼備」，如金蓮受虐於西門慶，又施虐給西門慶，她「往往用性的關係來敲詐或駕馭男人」⑥。

推而廣之，性的變態現象常常是成雙成對，如虐待與被虐待，又如暴露症(exhibitionism)與窺視症(peeping-mania)，等等，正如弗洛伊德所說：「正負相反的兩種性倒錯現象之永遠並現，誠然是十分引人注目的。」⑦

在整個性變態領域來看，又有最大、最寬泛的一對性歧變現象：方式(或程度)的歧變與對象的歧變。前面談到的性亢奮、性虐待(或被虐待)屬方式歧變；下面要談到的戀物症則屬對象歧變。

## 3.「願在絲而爲履，附素足以周旋」

陶淵明是位清心寡欲的隱者，然而，偶爾也有些閑情逸興。其《閑情賦》寫他見到一位有「傾城之艷色」的佳人，「欲自往以結誓」，却又「懼冒禮之爲愆」，不敢直抒戀情，但願變爲戀人的隨身之物：

願在衣而爲領，承華首之餘芳……

願在裳而爲帶，束窈窕之纖身……

願在莞而爲席，安弱體於三秋……

願在絲而爲履，附素足以周旋……

甘願變爲佳人的衣領、裳帶、莞席、絲履，而緊隨佳人，與之形影不離——這異乎尋常的愛戀中，或多或少有些變態的性心理，其突出表現是戀物：戀佳人之物，以至於自願變爲這些物。

藹理士指出：「最富有代表性的性的象徵現象或性的歧異要推物戀(erotic fetishism)了。」⑧如前所述，在性變態中，物戀屬對象的歧變。以正常的眼光看，性愛的對象是異性的身體（尤其是性的器官）。但戀物症者將對象轉換爲異性之物（服飾、用具等），甚至歧變爲與異性無甚關係的物體。當然，有時物戀者也戀與「物」有關的「器官」，比如由戀鞋兼及戀足。所以在物戀者眼中，所戀之物並非爲物，而是性的象徵或性愛的對象。

西門慶這位性變態者，也有些物戀的傾向。第八回寫西門慶從妓院回家，帶回一把扇子，金蓮取過來，迎亮處只一照，「原來婦人久慣知風月中事，見扇上多是牙咬的碎眼兒，就疑是那個妙人與他的，不由分說，兩把折了。」本來，隨身帶一把情人贈的扇子，並非異常；但是，那些「牙咬的碎眼兒」，就使這扇子充滿一些變態的性味道，西門慶戀它，金蓮恨它，便「兩把折了」。

在西門慶所戀之物中，最突出的是鞋。西門慶最愛看潘金蓮穿紅色的鞋兒，說是「看著心裏愛」（二十八回）。由此，我們想起《紅樓夢》中賈寶玉「愛紅的毛病兒」（常吃丫環嘴唇上的胭脂）。看來，大觀園的貴族公子，清河縣的藥舖老板，都有些性心理變態。

封建時代的婦女，多以腳小爲榮。潘金蓮的名字，就有自誇其「金蓮」之意，而且她一直以爲在西門大宅的眾女性中，她的「金蓮」最小。誰知山外有山，宋蕙蓮的「金蓮」更微，蕙蓮的鞋竟能放進金蓮的鞋之中。西門慶爲此更鍾愛蕙蓮，蕙蓮也借此事諷刺一下金蓮，這一切都被金蓮偷看在眼、記恨於心。後來，宋蕙蓮自縊，西門慶戀不到人，只好戀物：將蕙蓮的一只鞋，「寶上珠也一般收藏在藏春塢雪洞兒裏拜帖匣子內，攪著些字紙和香兒一處放著」。潘金蓮得知西門慶戀鞋的秘密後，惱羞成怒，當著西門慶的面將鞋剁碎，並扔進茅廁（二十八回）。

潘金蓮的恨鞋剁鞋，西門慶的戀鞋藏鞋，都表現出變態的性心理。在前者是性嫉妒、性仇視，在後者則是典型的戀物症。蕙蓮雖是女僕，但並無奴才氣，特別是看透西門慶的殘忍之後，便大膽地反抗起來，她痛責西門慶是「弄人的劊子手」，並以死來抗議西門慶的暴行。面對蕙蓮的反抗，西門慶不免有些色厲內荏，外强中乾。作爲主子，他當然不會公開認輸，而「戀鞋」的舉動，則無意中暴露了他性心理深處的軟弱和卑屈。藹理士有一番話頗能旁證西門慶戀物的心理根源：

在足戀者，足或履不只是一個工具，而是一個眞正的象徵，是不惜頂禮膜拜的東西，是一個理想化的對象，摩挲時固須極其虔敬之誠，想像時更不免忘餐而廢寢。足戀者自己大抵既不須作卑屈的行爲，更絲毫沒有自藐與足恭的情緒。⑨

西門慶偷偷地戀著蕙蓮的鞋，「既不須作卑屈的行爲」，也「沒有自藐與足恭的情緒」，却能消去性心理深處那份對蕙蓮的畏懼或膽怯。當然，這對他來說，多半是潛意識的、非自覺的。

「足的物戀現象或鞋的物戀現象」，「就它們心理學的關係而論，是往往很有曲折的」⑩，西門慶的戀鞋，實質上是戀足，而「戀足」，是一個頗具中國特色的性變態現象。在封建的中國社會，「

一個人的足也是一個怕羞的部分，一個羞澀心理的中心」，因此，「足的色相的授與，等於全部色相的授與」⑪，西門慶勾引潘金蓮，第一個動作就是捏其足，潘金蓮如此放縱的女性，在被捏的時候，也還臉紅了一陣（三回）。在中國，足部本有怕羞的傾向，而盛行的纏足之風更不免教此傾向變本加厲。因此，戀鞋戀足，就成爲中國古代性變態者的常見的性心理和性行爲。不僅《金瓶梅》中多有描寫，《肉蒲團》裏也有披露，《西廂記》也爲之著了筆墨，郭沫若在爲《西廂記》所做的一篇序言中，稱其中的足戀爲「拜足狂」。中國的古典詩詞歌賦中，也或多或少顯露出足戀或履戀的傾向，除了前引陶潛的《閑情賦》，著名的還有「凌波微步，羅袜生塵」（曹植《洛神賦》）、「可憐誰家婦，臨流洗素足」（謝靈運詩）、「履上足如霜，不著鴉頭袜」（李白詩）、「羅袜紅蕖艷」（杜甫詩），等等。由此可見，「在許多民族裏，特別是中國……足戀的現象是多少受人公認的。」⑫從道德的角度看，足戀雖然也有傷風化，但它畢竟不像「性亢奮」那樣放蕩、淫亂，也不似「性虐待」那般殘忍、暴戾。反之，它還或多或少有些詩意（否則，就不可能進入許多大詩人的作品），當然，這詩意又或多或少有些病態。

《金瓶梅》中的足戀乃至物戀，也不乏「詩意」。如西門慶珍藏蕙蓮的鞋，不管怎麼說，還是表明他對蕙蓮的死有些惋惜或哀情，他對死者還是有些眷戀。瓶兒死後，西門慶痛不欲生，保留了瓶兒的一切物品，此種戀物，似乎並無多少病態，而頗具一些情感內涵（這一點將在下編詳論）。

西門慶的戀物症也有發展爲惡癖的時候，比如第六回寫他把酒杯放在潘金蓮的鞋子裏喝酒。其實，這也是對當時社會上士大夫性變態行爲的眞實寫照。如當時江南名士何元朗，在宴客時就公然以妓鞋行酒，王世貞竟「作長歌以紀之」⑬。可見，即使從性變態的角度論，《金瓶梅》也是「曲盡人間醜態」⑭了。

《金瓶梅》所涉及的性變態，除了上述的「性亢奮」、「虐待——被虐待症」、「戀物症」，還有同性戀與戀童症、暴露症與窺視症、裝扮異性症等等。

西門慶、陳敬濟都有同性戀行爲，但二者的動機不盡相同。在西門慶，同性戀純屬性異常，他從中獲得病態的快感；在陳敬濟，是性飢餓時的不擇對象，一旦有了異性性對象，他就停止同性戀。而西門慶從來不缺少異性性對象，但仍然熱衷於同性戀。當然，西門慶搞同性戀也盡量瞞著妻妾，因爲即使金蓮這樣放縱性欲的女性，也認爲西門慶搞同性戀是「齷齪營生」（三十四回）。有一次平安向金蓮告密，西門慶還將平安毒打一頓（三十五回）。西門慶的同性戀伙伴是書童，故也可以說他的同性戀中有「戀童症」傾向。

西門慶的暴露症也頗爲明顯，他在與異性交談時，常常突然來一下「猥褻的暴露」（indecent exposure），以此挑逗對方，作爲性行爲的前奏（與他的性虐待一樣）。至於窺視症，《金瓶梅》寫到應伯爵、陳敬濟窺視女僕小便，雖無聊之極，亦多少帶有些性心理的變態。

【附　註】

① 見弗洛伊德《愛情心理學》第一二頁。
② 參見張敏筠編譯《性科學》第六七—七三頁。
③ 同註②，第七一—七三頁。
④ 參見藹理士《性心理學》第二三九—二四〇頁。
⑤ 參見弗洛伊德《愛情心理學》第一九五頁。
⑥ 同前書，第一五二頁。
⑦ 同上，第四四頁。
⑧《性心理學》第二〇二頁。
⑨ 同上，第二一〇—二一一頁。
⑩ 同上，第二〇五頁。
⑪ 同上，第二〇六頁。
⑫ 同註⑪。
⑬ 見沈德符《萬歷野獲編》卷二十三《妓女》中《妓鞋行酒》條。
⑭ 廿公《金瓶梅跋》。

# 下編　金瓶梅「色」之審美學批判

## 引　言

之所以將《金瓶梅》的「色」與「審美學」聯在一起，主要出於三個原因：首先，《金瓶梅》是一部具有審美價值的長篇小説（儘管她存在不少的侷限或糟粕）；其次，《金瓶梅》中有大量性（性現象、性意識、性心理、性行為）的描寫；第三，上述兩點之間，有內在的聯繫。

關於一、二兩點，也成定論，勿庸贅言；第三點則需要作一些解釋。用藝術的眼光看，性，有著美與醜之雙面：性關係若以純潔忠貞的愛情為基礎，則成為美；若純粹是動物性的洩欲，是皮肉之濫淫，則衍為醜。性交接方式，若肆意放縱，毫無節制，呈現病態甚至瘋狂，則是一種醜行；若自然和諧，使身心都沐浴性愛的甘霖，便進入美的境界。被人稱為「淫書」的《金瓶梅》，她所表現的，多是性之中醜的一面，而正是從對「醜」的描寫和刻劃中，我們看到了「美」。作者「曲盡人間醜態」，特別是曲盡時人性生活方面的醜態，是以一種譴責批判的態度，真實地表現人和社會的醜惡，這種真實性與批判性的融和，便成為對美的曲意追求，成為審美創造的藝術實踐。

作者對性藝術的美學追求，不僅寓於對性現象（現象的載體——人，和現象的背景——社會）之醜陋的批判之中，而且還直接表現為他對性意識之美有所認識有所描寫。他寫了好色者的情，視「情色」為性之美；他努力地導色入空，將粗俗不堪的肉欲昇華為精致高雅的理性。他的這些藝術實踐，雖然帶有一些封建意識，但作為性美學之創造的初步嘗試，對後人仍然有著借鑒和啓發意義。

我們談《金瓶梅》的性美學，並不否認她的色情性。無論從哪個角度講，《金瓶梅》都是一部精華與糟粕並存的藝術作品，就性學的領域而論，《金瓶梅》是色情性與藝術性並存。她對性交接的自然主義的描寫（不厭其細、不厭其俗），無疑是色情性的突出表現。盡管如此，她並沒有墮落為「色情文學」。「色情文學就是露骨地描寫性活動或性刺激，但卻沒有任何藝術價值的文學或藝術品。」①——這一條定義頗為客觀公允，以此來衡量，《金瓶梅》顯然不能被打入「色情文學」的另册。她的整體結構、人物塑造、情節敍述、心理刻劃、語言風俗，等等，其藝術價值或藝術性是有目共睹的。書中的性描寫，說到底，是她藝術表現的一種手段，是她塑造人物、鋪展情節乃至結構篇章、表現創作意圖的特有方式。比如中篇「性與性格」那一章所談到的，寫西門慶的性亢奮，潘金蓮的性錯位，都是性格刻劃的需要，沒有了那些性的描寫，西門慶和潘金蓮便不復存在，或者說他（她）就成了別一種（比如《水滸傳》中的）西門和金蓮。由此可見，在《金瓶梅》中，色情性（性的描寫）實際上是藝術性（性格刻劃）的一個組成部分。

「色情文學」的根本特徵是只有「色情」而沒有「文學」。當今充斥書攤的黃色讀物，純然為性而寫性，蒼白平板的性格、瞎編亂湊的情節、粗俗的文字、低劣的手法——一切都是為了一個目的，表現色情。色情性愈濃，藝術性愈淡，讀了這樣的「作品」，除了記住幾次性交的描寫，還能記住什麼呢？這些，才是貨真價實的「淫書」、「穢書」。而色情性與藝術性並存的《金瓶梅》應該說是一部具有性美學內涵的文學作品。在全社會大張旗鼓「掃黃」的今天，全國性的圖書展銷會上，仍然將各種版本的全本《金瓶梅》作為展品，這表明社會輿論是將《金瓶梅》與「色情文學」區別對待的。

《金瓶梅》的性美學，不僅見於她的藝術描寫，而且見於她的倫理形態和心理形態。《金瓶梅》性社會學的倫理觀，以德色為要義，在德與色之間（亦即在禁欲與縱欲之間）尋求中和之美，這本身便是性美學的題中之義；《金瓶梅》性心理學以性感過敏為出發點，由「愛」與「惡」的兩端所導致的新的一致：Chastity，實際上就是性的美學境界。另外，性的社會學（包括倫理、經濟、哲學）研究和性的心理學（包括性生理、性的變態心理）研究，分別從客體和主體、從表層和深層的不同角度，為性的美學研究提供了大量的史實和思想資料。再則，作為一種美學理想，作為對人類性生活之美學化的憧憬，更有必要將性學各個領域各個層次的研究，最終導入美學的領域或層次——這些，都是我們將「金瓶梅『色』之審美學批判」作為本書最末一編的理由。

而最根本的理由還在於：《金瓶梅》是一部文學作品，對於她的一切研究都不能脫離或忽略這一事實。一部文學名著，誠然有她的社會學價值和心理學價值，但她最主要的價值還在於文學和美學本身，而前兩種價值實際上包含在文學和美學價值之中，或者說通過其文學描寫或審美創造而表現出來。站在性美學的角度看，《金瓶梅》性社會學和性心理學價值，也是其性美學價值的具體體現，或者說，是《金瓶梅》從「性」到「美」的一種中介或過程。於此，我們不僅看到：《金瓶梅》性學的三大領域是一個有機整體；而且再次看到：《金瓶梅》的性描寫性藝術，與她的審美價值之間的必然聯繫。

# 第七章 情色論

「色」在《金瓶梅》中可視為「性」之代名詞已如前述；「一部《金瓶梅》說了個色字」②更為人所共知。但倘若說《金瓶梅》既寫了「色」，更寫了「情」，恐怕會遭到不少人的反駁：一部「淫書」，何「情」之有？

然而，只要不帶道學家的偏見去讀《金瓶梅》，則不難發現：其間果真有「情」——不僅僅是人們常說的炎涼之「世情」和淫蕩之「色情」，還不乏異性之「愛情」、同性之「友情」、母子之「親情」……而且，上述諸「情」，或多或少或濃或淡或顯或隱地帶著一些美學色彩。所以，本編論《金瓶梅》的性美學，以「情色論」冠首。

我們已討論過「德色」與「財色」。如果說，那兩章分別從倫理和經濟的角度剖析《金瓶梅》性之社會學內涵，那麼本章「情色論」則從情感和愛戀的角度探討《金瓶梅》性之美學價值。

## 1.「於愛河中搗此一篇鬼話」

爲摘掉《金瓶梅》頭上「淫書」的帽子，張竹坡作《金瓶梅寓意說》，指出：

終是作者窮途有淚，無可灑處，乃於愛河中搗此一篇鬼話，明亦無可如何之中，作書以自遣也。

《竹坡閑話》亦申此意：

《金瓶梅》何爲而有此書也哉？曰：此仁人志士，孝子悌弟，不得於時，上不能問諸天，下不能告諸人，悲憤嗚咽而作穢言以洩其憤也。

在張竹坡看來，《金瓶梅》「作穢言」、「搗鬼話」，其意並不在「淫」，而是洩悲憤之情，遣窮愁之思。將「發憤而著書」、「爲情而造文」視爲《金瓶梅》的創作動機，無疑有助於讀者透過《金瓶梅》滿紙「穢言」、通篇「鬼話」，去把握其美學內涵。但將作者之「情」只限定在「憤」的一面，又略顯偏頗。實則「憤」的另一面還有「愛」，因爲「鬼話」畢竟是「於愛河中」搗成的。作者「作穢言以洩其憤」，亦即「以色寫情」，此「情」之中，除了「悲憤嗚咽」，還有些愛戀眷情，在愛河中搗成的鬼話，多多少少沾了一些愛的「水珠」或「浪花」。

《金瓶梅》作者的憤慨，又主要表現於他對「色」的譴責。「此書獨罪財色」③，尤其對「色」

，幾乎是義憤填膺：從卷首的「色箴」到卷末的「終場詩」，戒色罪色之旨貫穿書的始末。對「好色的事體」和好色的人，更是嚴加指責，如稱西門慶是「富而多詐奸邪輩，厭善欺良酒色徒」（六十九回），稱潘金蓮是「沒廉恥，趁漢精」（七十五回），稱宋蕙蓮是「嘲漢子的班頭，壞家風的領袖」（二十二回），稱春梅是「淫欲無度」、「貪淫不已」（一百回），等等。正是在對「好色者」施之譴責的同時，却對「有情人」略表贊賞，而且，「譴責」和「贊賞」又是對比著來寫，則無形中加重了各自的份量。

第九十八回寫韓愛姐流落清河縣城，在翠館與陳敬濟邂逅，二人一見鍾情，朝來暮往，情意日篤。尤其是愛姐，若幾日不見敬濟，則百倍相思，寄香箋以賦心曲。兩人在一起，深情密意的話兒總也訴說不完。後來陳敬濟暴亡，韓愛姐聞噩耗，「晝夜只是哭泣，茶飯都不吃，一心只要見陳敬濟的尸首，死也甘心」。到陳的墳前燒紙，放聲大哭，頭撞於地，竟昏厥不醒（九十九回）。龐春梅也一度鍾情於陳敬濟，但陳死後，她似乎無甚眷戀、哀喪之情，照舊淫蕩不已，與僕人周義私通，放縱情欲至死（一百回）。在《金瓶梅》作者看來，春梅是「好（男）色者」，愛姐是「有情人」，將二人放在一起，是要用春梅之「淫」反襯愛姐之「情」。我們說過，《金瓶梅》作者是發憤著書，因情生文，作者的「憤」和「情」實則有兩個側面：一是對好色者的憤慨和譴責，一是對有情人的鍾愛和褒揚，二者互爲因果，相互促進：一方面以「戒色」來「寫情」，一方面以「寫情」來「戒色」。

但《金瓶梅》人物的「情」又有些與衆不同，其顯著特點是與「色」有不解之緣。就說韓愛姐吧，原本是賣淫爲生，後來愛上陳敬濟（其實敬濟亦是好色之徒），雖不乏眞情，但此情到底是緣「色」而起。小說寫他倆在一起「無非說些深情密意的話兒」，聽作者這種語氣，大約對愛姐緣色而起的情，略有調侃之意。發展到後來，愛姐愛得死去活來，情極之篤，竟然要爲那位並非是她丈夫的男子守活寡。到了這步田地，愛姐之情中，「色」的味道倒是沒有了，却又新添了「禮」的成份。

當然，我們不能站在今天的高度，指責韓愛姐有封建思想，亦不能指責她的情是因色而起。一個封建社會的下層女子，在那樣一個污濁糜爛的環境中，能有如此熱烈而忠貞的愛，已屬難能可貴。說到底，愛情，並非純而又純的蒸餾水，除了不可避免地帶有時代和社會的烙印（如愛姐之「情」中的守節傾向），更不可避免地含有「色」的因素。

《金瓶梅》第一回有幾句話專論「情色」：

此一只詞兒，單說著「情色」二字。乃一體一用，故色絢於目，情感於心，情色相生，心目相視。

色，作用於感官、肉體，是外在的「用」；情，作用於精神、靈魂，是內在的「體」。先「絢於目」，然後才可能「感於心」，故情需要色的引發；若無「感於心」之情，則色就會成爲無體之用、無靈魂之軀殼，故色又需要情的昇華。二者「相生」、「相視」，相互融合，便形成既有心靈之內容又有肉體之形式的「情色」。

除了講「情色」之特徵及其相互關係，《金瓶梅》還談及「情色」對於人及人之生活的意義：

亙古及今，仁人君子，弗合忘之。晉人云：「情之所鍾，正在我輩，如磁石吸鐵，隔礙潛通。無情之物尚爾，何況爲人終日在情色中做活計一節。」

「情之所鍾，正在我輩」，乃竹林七賢之一王戎語（事見《世說新語·傷逝篇》），《金瓶梅》中的「我輩」，較之「竹林七賢」，雖有雅俗之別，而姿情任性却又頗爲相似。說到底，無論雅如魏晉名士，抑或俗似清河縣民，都要「終日在情色中做活計」，何能無「情」，又何能無「色」？

《金瓶梅》以色寫情，合而爲「情色」，不僅僅是其創作意圖，更化爲其作品實際。概而論之，作者的以色寫情大致表現在三個方面。其一，通過貶「色」來褒「情」（如前面提到的對愛姐和春梅這兩位女性的不同態度），此「色」多爲性之放蕩，此「情」又帶有一些禮教的色彩，故「貶色褒情」，與上編談到的「戒色崇德」，有些相似之處；其二，寫出「色」中之「情」，亦即眞實地表現「好色者」性格中「有情」的一面（西門慶以「色情狂」之身份，亦不乏眞情，如他對瓶兒的鍾愛，尤其是在瓶兒病重及死後所表現出來近乎瘋狂的戀情）；其三，也寫出「情」中之「色」，亦即寫出「性」對於男女之情的引發作用（如愛姐之情肇始於色，西門慶對瓶兒的愛也是從性愛發端）。

上述三點，實則都是從不同角度表述情與色之關係。在第一點中，情與色是對立的，而在後兩點中，情與色又是統一的——此乃情色關係的第一個特徵；情與色的統一又分爲兩種情況：色中之情與情中之色，前者强調「情」，强調在色（性）的外觀中有著情的底蘊或內涵；後者强調「色」，强調情的內容常常靠色來引發或表現。將情與色合而論之，則爲「情色相生，心目相視」。

《金瓶梅》「情色論」的美學特徵，主要表現於情色關係（尤其是情色統一）之中。我們欲認識《金瓶梅》所特有的「情」，也必得從情色關係著眼。下面將分別從「色中之情」與「情中之色」兩個方面探論《金瓶梅》的「情色論」及其美學意義。

## 2.「不覺心中感觸眼中落淚」

第一章曾借韓愈的話，說《金瓶梅》作者是「有不得已者而後言，其歌也有思，其哭也有懷」，一部《金瓶梅》，就是作者的「哭」。「作者無感慨，亦不必著書」④，心中感觸，眼中落淚，「一把辛酸淚」化成「滿紙荒唐言」。讀《金瓶梅》，不難想見作者也是「終日在情色中做活計」的有情之人。

《金瓶梅》是作者的「哭」，《金瓶梅》更寫了許多人物的「哭」。後一類哭形形色色，其情感內涵更是千差萬別，從性美學的角度看，不乏眞情實意的哭就有：宋蕙蓮哭來旺、陳愛姐哭敬濟、吳月娘哭西門、李瓶兒哭官哥、龐春梅哭金蓮、西門慶哭瓶兒……

我們從西門慶哭瓶兒說起。西門慶看上瓶兒，一是因爲「色」，一是因爲「財」，而「財色」之中，並不乏「個人性愛」的成份，否則，在他「財色雙收」之後，就不會一如既往地鍾愛瓶兒。比如娶孟玉樓，也是因其財色，而一旦財色到手，他就不怎麼理睬玉樓了。可見對瓶兒和對玉樓，西門慶的情和愛，還是有著程度的差別。

瓶兒喪子後，悲痛欲絕。瓶兒在西門大宅算是人緣最好的，遇此大難，當然得到不少人的同情和安慰，而給她最大慰藉的，則是西門慶。官哥兒病逝後，西門慶一連在瓶兒房中歇了三夜，並非爲了性生活，而是百般解勸、寬慰瓶兒。埋葬官哥兒時，西門慶怕瓶兒到墳上悲痛，說什麼也不讓她去。看見官哥兒的戲耍物件仍在瓶兒跟前，西門慶擔心瓶兒睹物思人，心中憂喪，都令迎春拿開了（五十九回）。

由於悲哀過度，瓶兒終於一病不起。西門慶每日守著瓶兒，連瓶兒都有些過意不去，要西門慶去忙他自己的生意，但西門慶說「我見你不好，心中捨不得你」。爲了「沖邪」，西門慶爲瓶兒看下一副價錢昂貴的壽木，瓶兒說「你休要信著人使那憨錢……你偌多人口，以後還要過日子哩。」西門慶聞此言，「如刀剜肝膽、劍剉身心相似，哭道：『你說的是哪裏話，我西門慶就是死了，也不肯虧負了你。』」（六十二回）話雖然有些誇張，哀情却並非是假裝的。

瓶兒病重，診病的潘道士斷定瓶兒必死，並叮囑西門慶：「今晚官人切忌不可往病人房裏去，恐禍及汝身，愼之愼之。」西門慶聞此言，也確實有些膽怯，書中寫他的思想鬥爭：

法官（即潘道士）教我休往房裏去，我怎生忍得，寧可我死了也罷，須廝守著和他說句話兒。於是，他進入瓶兒房間，「也不顧什麼身底下血漬，兩只手捧著她香腮來親，口口聲聲只叫著『我的沒救的姐姐，有仁義好性兒的姐姐，你怎的閃了我去了，寧可叫西門慶死了罷了……』」（六十二回一個「弄人的劊子手」，一個「坑婦女的領袖」，此時此刻，竟然成了一位溫柔、體貼、感傷、多情的丈夫，成了一位富於犧牲精神、一位捨己愛人的男子漢，其性格反差，似乎太强烈。然而，細細品味，這又是眞實可信的。中編曾談到，西門慶的性優勢導致他性格之剛柔的兩面。而他性格中，具有「醜」之質的殘忍、貪婪、放蕩、荒淫，與具有些微「美」之色彩的細心、體貼、多情、傷感，同樣與他的性心理有關。他一生以放縱情欲爲目標，女性，既是他洩欲的工具，又是他施愛的對象。雖然，在大多數女性身上，他只企求得到性欲的滿足，但並不排除他也可能希望在個別女性身上獲得眞心的愛。而且，他的放蕩情欲，有時還能使他看到個人性愛的價值，這正如以淫爲業的妓女，有時反而懂得愛情的珍貴並不顧一切地去追求（如《三言二拍》中的杜十娘和《金瓶梅》中的韓愛姐）。西門慶的殘忍和有情，實則都導源於他的性心理，是他性心理外顯的兩種形式。殘忍如毒死武大、氣死子虛、坑害竹山、流放來旺），是爲了占有女性；有情，同樣也是爲了占有女性，只不過前者是爲了占其身（亦即出於色的目的），後者還爲了占其心，爲了他的情有些正經去處，爲了他的愛有傾訴的對象。我們讀《金瓶梅》，往往只看西門慶好色的一面，而不看（或不願看）其有情的一面。究其原因，除了關於西門慶性格的「評價定勢」（他是人所共認的惡棍），除了欣賞心理中道德判斷壓倒審美判斷，還有一個原因就是將「情」與「色」視爲勢不兩立、水火難容的兩端。

自然，色，有著醜惡的一面（如西門慶好色以至於戕賊他人和自身），但結合《金瓶梅》的創作實際來看，色的外延十分寬泛，故有些意義上的色本身就含有情的成份，比如瓶兒與西門慶的性關係，到後來既無經濟目的，又不用變態方式，多半成為表「情」的手段。即便是性欲成份較重的色，也與情有著千絲萬縷的聯繫，或者為情之發端，或者是情之酵母，或者為情的感官形式。分析《金瓶梅》的情，無法不考慮色，說到底，《金瓶梅》的情是色中之情，是包含有性欲和性愛的情。也正是在此意義上，我們才將《金瓶梅》的美學稱之為性美學。

瓶兒病入膏肓，西門慶「捧著他香腮親著」；瓶兒咽氣之後，西門慶「匍伏在她身上，撾臉兒那等哭」，哀情中不乏性的色彩，或者說是以色的形式表達情的內容（所謂「一體一用」）。西門慶「三兩夜沒睡，心中著了悲慟，神思恍亂」，悲哀之極，竟動了懺悔之意：你聽他哭訴——

天殺了我西門慶了，姐姐你在我家三年光景，一日好日子沒過，都是我坑陷了你了。

此話倒不假。西門大宅對於瓶兒來說，頗有些「一年三百六十日，風刀霜劍嚴相逼」的味道。初嫁西門，等待她的是「新郎」的拒不見面。冷置三天後，是一頓鞭笞。到後來，雖然她處處小心，如履薄冰，到底還是「吃人暗算了」。所以西門慶面對死者，追憶往事而生懺悔之意，即表現出其情之篤，又顯示出其情之眞。

西門哭瓶，並非做做樣子，也不是一時衝動，此情還有些長久。他叫畫師為瓶兒繪了遺像，他在瓶兒房裏設了靈床，長期保留著一個完整的「瓶兒世界」。聽戲時，做夢時，甚至吃泡菜時，都會觸景生情，想到瓶兒。直至一年後給孟玉樓上壽，又想起瓶兒，令戲子唱《憶吹簫》，以寄托哀思（七十三回）。有一次，西門慶聽戲，聽唱到「今生難會面，因此上寄丹青」，西門慶「忽想起李瓶兒病時模樣，不覺心中感觸，眼中落淚」。坐在一旁的潘金蓮頗爲不解，對人說「若唱的我淚出來，我才算他好戲」（六十三回）。金蓮當然不會聽戲而落淚，因爲她對瓶兒只有嫉恨，絕無思念。但是，當西門慶死後，她被月娘掃地出門時，金蓮在西門慶靈前大哭了一回（八十六回）。眉評說：

眾離散去，獨金蓮辭靈大哭，可見情之所鍾，雖無情人亦不能絕。

這位「無情人」居然也動了情。雖然哭聲中也有哀一己之命運的成份，但有情的淚水，到底還是爲西門慶的亡靈而灑。西門慶、潘金蓮這類性異常者，究竟還是有點人的正常情感，當然，這情感中又頗多性的成份。

《金瓶梅》不僅寫了男女間的「情色」，還寫了一些並無多少性之色彩的情。潘金蓮四面樹敵，却也有一知己，那就是春梅。同在西門大宅時，春梅常開導、安慰金蓮。後來春梅做了守備夫人，金蓮被掃地出門，春梅還想方設法慫恿丈夫也將金蓮娶來，與她做姐妹，共同生活。金蓮被殺後，暴尸街心，無人認領，又是春梅將其掩埋。薛嫂感動地說：「虧了春梅，超不過娘兒們情腸，差人買了口棺材，領了她屍首葬埋了」（八十八回）。清明時節，春梅還去金蓮墳上爲她燒紙。

如果說，春梅的「娘兒們情腸」到底有些不太正經，有些惺惺惜惺惺的味兒；那麼，瓶兒的親子之情，則是正經得無可挑剔、難以指責，因而也更加感人。官哥兒只活了一年零兩個月，尸首往外抬時，瓶兒拉住不放，哭著對僕人老媽子說：「慌抬他出去怎麼的，大媽媽，你伸手摸摸他，身上還熱哩。」（五十九回）讀到這裏，即便鐵石心腸，也要爲之落淚。「身上還熱哩」，尋常五字，字字揪心，聲聲斷腸，道出瓶兒這位年輕母親的多少慈愛與柔情，訴出這位弱女子的大多少凄涼與悲愴！無怪乎連西門慶那一類狠心腸的人也爲之感動。官哥兒死後，薛姑子給瓶兒講因果報應的道理，以示安慰，但「瓶兒聽了，終是愛緣不斷，但提起來，輒流涕不止」。送葬回來，瓶兒一頭撞在門底下，回到房中，睹物思人，又是「不覺心中感觸，眼中落淚」……

## 3.「急急巴巴，跳不出七情六欲關頭」

好色者如西門慶和金、瓶、梅亦不乏其情，而他（她）們的情究竟有些異樣，有些顚狂，有些性感。《金瓶梅》第一回就開章明義地指出：

單道世上人，營營逐逐，急急巴巴，跳不出七情六欲關頭，打不破酒色財氣圈子，到頭來同歸於盡……

作者是說七情六欲酒色財氣都是害人性命的東西，但我們從中却能悟到一點人生哲理。一般而論，不管人怎麼急急巴巴地掙扎，也「跳不出七情六欲關頭」，說到底，人非聖賢，不可能沒有七情六欲。因此，「情」之中，含有「色」的欲望，則在所難免。一般以爲，「情」一旦帶上「色」，就不那麼純潔，不那麼崇高了；「情」如果以「色」來限定而成爲「色情」，就無異於過街老鼠。然而，平心而論，情究竟離不開色，特別是男女之間的愛情，或多或少有著性愛（色）的成份——大概只有道學家或別有用心者，才會否認這一點。

不承認「情」與「色」相關聯，硬要弄出一個純如蒸餾水似的「情」，終究是徒勞。尤其是研究《金瓶梅》這部「淫書」的「情」，則無論如何「跳不出七情六欲關頭」。中編「性感過敏」那一章，談到對待「色」，既不宜採取禁欲主義的態度，更不能放縱情欲，而應該用平衡的方法，在「個人性愛」的基礎上保持性生活的和諧（亦即「Chastity」）。Chastity的態度，對於我們在「七情六欲關頭」內認識《金瓶梅》的情色關係，具有啓發意義。

西門慶對李瓶兒的情，是緣「色」而起；但發展到後來，二人情意日濃，而色的成份日淡，尤其是瓶兒喪子以及瓶兒病重期間，性的行爲已完全不可能，但西門慶對瓶兒的情並不減半分，反而更眞誠、更熾熱，以至於進入「懺悔」的境界，到了「忘我」的程度。由此看來，是否情一旦與色剝離開來，就變得純潔而崇高了呢？是否西門慶與瓶兒的情之所以感人，只因爲他們二人都不帶有性的目的了呢？

並非如此。西門慶是個色情狂，性欲衝動時，什麼也不顧忌，瓶兒月經期間，他也要與瓶兒同房。瓶兒生育後，身體虛弱，性感冷漠，但西門慶還死皮賴臉地呆在瓶兒房中，任憑瓶兒驅趕，也不願離去。只是後來，瓶兒因喪子而悲傷，繼而大病不起，這一客觀事實，在西門慶與瓶兒的性關係之中，築起一道不可逾越的鴻溝。色的障礙，對西門慶來說，不僅絲毫未減他對瓶兒的情愛，反而刺激起更加强烈、甚至近乎瘋狂的眷戀。西門慶的愛瓶之情，原本就含有性的成份；而性欲受阻的事實，使得這有「色」之「情」發酵、膨脹、乃至昇華，不再以官感肉體的形式，而作爲一種帶有美感的「精神現象」，呈現於作品之中。

弗洛伊德以性學大師的身份，也反對性的放縱，也認爲「性解放更不會有好結果」，他接著說：

一旦情欲的滿足太容易，它便不會有什麼價值可言。想使原欲情潮高漲，一些阻礙是必不可免的……每當阻滯滿足的自然力量消失，人們便建立習俗的阻力，以便享受愛情。……當性的滿足暢行無阻，比如說，當一個古老文明頹廢的時候，愛情變得沒有價值，人生十分空虛……⑤

弗洛伊德主張人爲地阻滯情欲以便使人享受愛情，這一點能否可行姑且不論；弗氏此說對我們認識「色」（情欲性感）在「情」中的作用，頗有啓迪。性的欲望在實現過程中受阻，猶如閘門截水，使情欲陡然高漲；而性的滿足一旦成爲不可能，則情欲的潮水高漲直上情感的層次，而匯成愛河情潮，一發而不可收。愛的波濤在精神的河床上奔湧，情的浪花在靈魂的曠野裏怒放，人們便享受到眞正的愛情。

由此看來，瓶兒的病入膏肓，是西門慶的「幸運」，他的「色」因之受阻，而他的「情」因之昇華，這位色情狂，終於能享受到一點愛情的滋味。可見，在情色關係中，色的障礙，客觀上能提高情的價值。

那麼，反過來說，色的暢行無阻，是否能導致情的貶值甚至變質呢？我們來看西門慶與潘金蓮的關係。

西門慶看上潘金蓮，完全出於色的目的（而西門慶之於瓶兒，「好色」中還有些「貪財」），因爲潘金蓮除了色，一無所有。然而，西門慶在潘金蓮身上滿足性欲，太容易了，不僅毫無阻礙，而且金蓮比他更主動、更積極。如果說，他對金蓮還有一絲情和愛的話，那麼很快就化爲性的欲望，渲洩得乾乾淨淨、蕩然無存。在一次次的渲洩過程中，情，成爲地地道道的色情，愛，變成不堪入耳的穢言，不堪入目的褻行，不堪忍受的肉體苦痛。暢行無阻的洩欲好色，不僅褻瀆乃至泯滅了那一點點情，而且最終斷送了西門慶和潘金蓮的性命。

既然客觀造成的色之障礙、性之阻滯，能無意中提高情的價值，那麼對「色」的Chastity態度，無疑更能有助於培養性行爲雙方真誠而純潔的愛戀，那是一種更高層次、更高意義上的「愛情的享受」。站在情色關係的這一角度，再來看西門慶、潘金蓮等人的放縱和淫蕩，的確是沒有多少情感內容的色，就其本質和主流而言，只能稱之爲「色情」而不能叫「情色」。同樣，陳敬濟之於潘金蓮、龐春梅，龐春梅之於周義，王六兒之於劉仁，他們無遮攔、無廉恥地縱欲好色，都只有色情的味道，而沒有情色的內涵。

恩格思將中世紀騎士與情人的通奸，稱之爲「第一個出現在歷史上的性愛形式」，稱之爲「熱戀」和「性的衝動的最高形式」⑥。騎士之愛，亦爲「情色」，而此種情色，同樣導源於色之受阻，具體而言，導源於中世紀基督教的禁欲主義。正如弗洛伊德所言：「基督教文明的禁欲傾向確曾大大地提高愛情的精神價值，這是古代的異教徒們所從不曾得到的；最高貴的愛情，存身於苦行僧的生活，他們終其生與原欲的誘惑掙扎不已。」⑦西門慶如果沒有因瓶兒病重而色欲受阻的話，他可能也會成一個「從不曾得到」情與愛的「異教徒」。

說禁欲傾向能提高愛情價值，並不等於提倡禁欲主義。如前所述，眞正意義上的男女之情，既不存在於禁欲，更不存在於縱欲，而存在於二者之間的平衡狀態：Chastity——於此，我們看到性美學與性心理學的內在聯繫。而蘊藉在Chastity之中的「情色」，又可視爲一個「性心理學——性美學」之專有名詞。

「白日消磨斷腸句，世間只有情難訴」，對《金瓶梅》的作者是如此，對《金瓶梅》的研究者更是如此。情，在人類生活中占有太重要的地位；情，無論是在文藝美學還是在性科學領域，都是人們樂而不疲的話題；情，又是最難窮盡、最難說清楚的。我們嘗試把《金瓶梅》的情，放在性科學與文藝美學的交叉地帶來研究，亦即從性美學的角度討論《金瓶梅》的「情色」，無非是想弄清楚《金瓶梅》的難訴之情，弄清《金瓶梅》情色的別一種意味——性美學價值。

但願我們的初衷沒有成爲奢望。

【附註】

①鄭衛民等編譯《性哲學》第一一四頁。
②魯迅《中國小說史略・明之人情小說》。
③《竹坡閑話》。
④張竹坡《金瓶梅讀法三十四》。
⑤《愛情心理學》第一四一頁。
⑥《馬恩全集》第廿一卷第八二—八三頁。
⑦《愛情心理學》第一四一頁。

# 第八章　色空論

色空，是佛教名詞，前者指有形質能感觸到的東西；後者恰恰相反：並非獨立存在之實體，只是事物的因和緣，所謂「無我無我所，是名爲空」（《大智度論》五）。《金瓶梅》也講色空。其色，指與女色相關的性行爲性心理；其空，指人生之夢幻虛空、因果循環、善惡報應。二者分別代表《金瓶梅》的性意識和宗教意識。作爲宗教意識的「空」與佛教的「空」當然是一回事；而作爲性之代名詞的「色」與佛教的「色」就有些區別了。

紫陽道人編的《讀金瓶梅》第四十三回：「一部《金瓶梅》說了個色字」，黃霖先生指出「這話雖然有點偏頗，但誰都承認《金瓶梅》關於情欲的赤裸裸的描繪實在是驚世駭俗的。」①可見《金瓶梅》的色指的是情欲性事。但此「色」與佛教的色並非全無聯繫，就前者的最初意義「女色」來說，它也是一種有形質可感觸的東西。佛教的色是與屬於精神領域的「心」相對而言的，《金瓶梅》的色，作爲性的感官或肉體，同樣可以與「心」（尤其是人之精神或情感）相對而成立，如我們上一章將「情色」對舉。

佛教認為世間的一切都是「空」，連「色」也是「空」，所謂「從色還空，即色是空」，故色是沒有什麼意義的。《金瓶梅》的色空受佛教影響，具有較為濃厚的宗教意味。作者的創作意圖，是要將色導向空，將色與空統一起來。但其創作實踐（尤其是人物刻劃），卻處處暴露出色與空的矛盾。無奈，作者只好借「天道循環因果報應」這一無邊佛法，將色與空「拉郎配」。雖然是一廂情願，而且處處捉襟見肘，但作者在處理色空矛盾時的蹣跚步履，為我們探討《金瓶梅》的性美學，闢開了「別一洞天」。

## 1.「美色佳人，都化作一場春夢」

《金瓶梅》開篇有八句詩，後四句為「色箴」，本書已多次提及，此不贅錄，前四句是：

> 豪華去後行人絕，簫箏不響歌喉咽。
> 當時歌舞人不回，化為今日西陵灰。

張竹坡評點，說一、二句講「空去財」，三、四句講「空去色」。所謂「空去色」，就是「從色還空」，「導色入空」，「以空化色」，最終將色空統一。「歌舞」、「行人」之色，都化成了「西陵灰」之空，所謂「美色佳人，都化作一場春夢」（六十二回）。

上編曾指出，《金瓶梅》作者「戒色崇德」的創作意圖貫穿小說始終；同樣，作者「從色還空」

、「以空化色」的意圖也是「千里伏脈」，首尾相連。從根本上說，將色空統一，也是爲了戒色，宗教意識究竟是爲世俗的倫理意識服務的。

《金瓶梅》的以空化色，突出表現在小說的總體結構之中；而所謂「總體結構」，又是靠「月娘」其人和「月娘好佛」其事來體現的。在《金瓶梅》的眾多人物中，月娘是唯一的一位活到書中「最末一回」之「最末一段」的人物，而月娘好佛之事在書中也是常被提及。張竹坡說：

先寫月娘好佛，一路尸尸閃閃，如草蛇灰線。後又特筆出碧霞宮，方轉到雪澗，而又只一影普師，遲至十年，方才復收到永福寺；且於幻影中將一部書中各有名人物，花開豆爆出來，復一一烟消火滅了去……然則寫月娘好佛，豈泛泛然爲吃齋村婦，閑寫家常哉！此部書總妙在千里伏脈……②

眾所周知，「草蛇灰線」、「千里伏脈」，是《金瓶梅》藝術結構的一大特點，而「月娘好佛」一事，作爲全書一條頗爲重要的「線」或「脈」，貫穿始終。正是沿著此「線」，作者將書中「各有名人物」，弄得「一一烟消火滅」。這條線，一頭是色，一頭是空。

作品的藝術結構，具體體現在人物塑造和情節安排之中，「月娘好佛」之線，引出多少人物的離合悲觀，引出多少色與空的故事。吳月娘是虔誠的佛教徒，西門慶是地道的色情狂，二人本是色空相對，但月娘時時處處企圖以空化色。雪中拜斗，已使西門慶受了些感動，但他好色成性，六根難淨；和尚化緣，月娘因勢利導，再勸夫婿戒色從佛，仍然未見成效；佛法無邊，善惡有報，西門慶終於因好色而淫喪，此色以空了結。喪夫之後，月娘到碧霞宮燒香還願，却遇色鬼逞强，色，居然向空挑戰，當然是落落大敗；月娘轉而到雪澗洞，普靜師要將月娘獨子化緣，月娘不忍，但又不便拒絕，只好含糊許願。這一含糊，就是十多年，十多年又有多少好色之徒化爲「西陵灰」，普靜師將西門慶、金、瓶、梅等一干色鬼寃孽一一安頓完畢之後，便將月娘的兒子孝哥幻化而去。至此，「月娘好佛」之線，走到終點，《金瓶梅》終於以空結色，將色空統一於普靜師的幻化之中。正如張竹坡所言，「作者開講，早已勸人六根清淨，吾知其必以空結財色二字也。夫空字作結，必爲僧乃可，夫西門不死，必不回頭。」③對西門慶這類死不悔改的色情狂來說，以空結色的唯一方法，是讓他淫喪。西門斷氣，孝哥落地，孝哥是西門脫生，最後讓孝哥爲僧，實際上也是讓西門爲僧，孝哥入空門，實則是以空了結西門之色。「夫人之旣死，猶望其改過於來生，然則作者之待西門，何其忠厚慨惻，而勸勉於天下後世之人，何其殷殷不已也。」④以空結色，是望西門改過，是勸勉天下之人——《金瓶梅》的色空，從宗教天國落腳到凡間塵世。

從作者的主觀意圖看，以空化色，也是爲了「明人倫、戒淫奔」，有明顯的懲勸傾向，宣揚的是封建意識和因果循環的宗教觀念。這些當然是消極的一面。但以性學的眼光看，《金瓶梅》以空化色、將色空統一的藝術構思和藝術處理，還是有些美學的意味。對性的放縱，達到西門慶、潘金蓮等人的程度，無論從哪個角度講，都是一種醜惡。在性的描寫中，如何化醜爲美？一般來說，《金瓶梅》採用了兩種方式，一是「情化」，亦即寫出色中之情，寫出好色者亦不乏人之常情；一是「空化」，將污淖之色，經過藝術的處理，而淨化爲宗教之空。關於「情化」，上章「情色論」已作了闡述。這裏著重談談「空化」。

宗教，作爲一種意識形態，並非憑空產生，她同任何意識形態一樣，都是一定社會存在的產物。原始時代，宗教的產生，導源於人們對大自然的迷惘和恐懼，從而將自然的力量人格化，在人之上創造一個神聖的上帝。原始人類，受著蒙昧的制約，性的認識極其幼稚，不了解妊娠與性行爲之間的必然聯繫，對性現象抱有恐怖和神秘感，於是，性生活就與宗教密切相連，隨著也發生了種種性的禁忌(Tabu)以及其它關於性的迷信。到了《金瓶梅》的時代，對性的蒙昧無知已不復存在，宗教的禁忌對塵世間性的放縱已失去了應有的效力，於此人欲橫流的社會，《金瓶梅》作者企圖以宗教意識了結性欲，正如他企圖以德戒色一樣，究竟只是一種「良好願望」。但是，當作者通過他的藝術描寫來表達這種願望（即創作意圖）時，我們看到了其間的美學價值。首先，將色「空化」，以天國的純淨來蕩滌塵世的污濁，因其對性放縱和色情狂的批判態度，而具有了美的內涵；其次，空的境界，從藝術上論，也是一種美的境界，有如詩歌神韵說的「空中之音，相中之色，水中之月，鏡中之象，言有盡而意無窮」⑤。《金瓶梅》第八十九回，寫清明時節，春梅爲金蓮上墳，有一段「清明墓地」的景物描繪，清空飄逸，幽怨淡雅，不乏詩的神韵和空靈。將世俗的色「空化」，剝落其齷齪的外衣，使肉體的淫蕩經由煉獄的洗禮，而淨化成精神的美。《金瓶梅》的這種實踐本身，應該說是對美的追求；再次，作者以空結色，有一重要藝術手段：寫夢。「月娘本是夢中人，非夢不足以化。又瓶兒有夢，西門慶有夢，敬濟有夢，周二有夢。今以月娘一夢結之，又一部繁華富貴，以燈影描之，以夢境結之，大是儆人癡念處。」⑥《金瓶梅》的諸多之夢，雖有宣揚善惡報應、「儆人癡念」的說教意圖，但作爲一種特有的藝術手法，描寫人物的性心理，抒發人物的眞情實感，也不乏美的意味；另外，以空結色的「草蛇灰線」、「千里伏脈」，作爲長篇小說的藝術結構方式，本身也是具有美學價值的。

## 2.「果然佛法能消罪？亡者聞之亦慘魂」

《金瓶梅》作者借佛法之「空」，將「美色佳人，都化作一場春夢」，而「春夢」的飄渺、清空、幽遠、哀怨，賦予《金瓶梅》的「色空」一些美的色彩。然而，佛法並非力大無邊，盡管它可以通過曲折的途徑將色導入空（比如首先讓西門慶脫胎成孝哥，繼而讓孝哥幻化爲明悟），但是，好色之徒的淫蕩生涯、邪惡情志、卑汙人品，與佛教的空，實則相去萬里。佛法，既不能使他們的放縱情欲有絲毫收斂，亦不能消彌他們在塵世情場的種種罪孽。

吳月娘是信佛的人，在性生活上自然十分檢點，曾多次奉勸丈夫廣爲善事，積攢陰功。但是，西門慶頭腦中實在沒有多少宗教觀念。這位清河縣的大財主，實則是個庸俗不堪的市井之徒。書中寫他「頭戴纏綜大帽，一撒鉤絳，粉底皀靴」（張竹坡評點：「富家氣象却是市井氣」）（七回）。他「不甚讀書，終日閑游浪蕩」，却又故作高雅地在房間裏設置書櫥，而書櫥裏並無多少書可裝，裝的是請東、帳簿、關係網的「通訊錄」之類。他全無一點宗教的常識，鬧出「結拜的事不是僧家管的」這類笑話（一回）。他腦袋瓜裏，裝的都是「貪財好色的事體」，並無半點佛家之理。有時見到化緣的和尚，他也慷慨解囊，但並非是信佛行善，而是賄賂西天的佛祖和陰司十殿的大小魔鬼，用錢去買「強奸嫦娥，拐騙織女」的特權。佛家講因果報應，而西門慶並不信這一套，照樣爲非作歹、傷天害理。

張竹坡《金瓶梅讀法二十九》：「觀玉樓之風韵嫣然，實是第一個美人，而西門乃獨於一濫觴之金蓮厚。故寫一玉樓，明明說西門爲市井之徒，知好淫而且不知好色也。」張氏意謂：「好色」者，好「風韵嫣然」之「美人」也；而西門慶實則連「好色」也不知。《金瓶梅》講「色空」，西門慶不僅與「空」無緣，而且連「好色」也稱不上。《紅樓夢》裏的賈寶玉是「意淫」，那種精神上的耽溺著魔，多少有些宗教的意味；而西門慶是皮肉之濫淫，與宗教是毫不相干的。

潘金蓮也是一位全無宗教觀念的情欲放蕩者。吳月娘請吳神仙給眾妻妾、奴婢算命，大家誠惶誠恐地聽候神仙的「宣判」，惟獨潘金蓮不以爲然，且大放獗詞：「我是不卜他，常言算的著命，算不著行」。她並不在乎「命」（亦即她未來的命運、歸宿或報應），她看重的是「行」（生前的享樂、放縱、情色）。她也並非不知道善惡報應的佛家之理，但她不怕來世的惡報，面對地獄的陰森恐怖，她頗有些坦然：「隨他明日街死街埋，路死路埋，倒在洋溝裏就是棺材」（四十六回）。

西門慶和潘金蓮，在他們「下地獄」之前，是只有「色」而無「空」。他們的放縱情欲，爲非作歹，誠然有其醜惡的一面；但他們對佛法的蔑視、置來世報應於腦後而執著追求現世的幸福（當然是他們所認爲的那種「幸福」），結合作品的時代背景來看，並非沒有審美的意義。就藝術表現的角度論，用天國的純淨清新去蕩滌塵世的泥淖、荒淫，是一種美的追求；但從根本上說，所謂天國的純淨，只是普通人的美好願望和文學家的藝術理想。宗教意識，畢竟有其虛幻甚至虛僞的一面，《金瓶梅》作者在精心構置天國的藝術氛圍時，也有意無意地掩飾了宗教的虛幻和虛僞；而作者在「描寫世情，盡其情僞」時，在眞實地表現色與空的矛盾時，則又有意無意地用塵世的歡樂（儘管是不乏淫蕩甚至罪衍的「歡樂」），對比出天國的虛幻。正是在作者這兩種「有意無意」之間，我們窺到《金瓶梅》的性美學內涵的兩個側面：用「空」的超脫、寧靜，去批判「色」的世俗放蕩；用「色」的快樂、眞誠，去批判「空」的飄渺、虛幻——二者是矛盾的，又是統一的。人，有一副肉做的軀殼，「跳不出七情六欲關頭」，全然與「色」絕緣，於情於理都難以做到；人，又畢竟是萬物之靈長，肉的軀殼內，還有一個高貴的靈魂，他有精神的寄托，有美的追求，他能於「色」之外，去尋覓或創造「空」的意境。在「色」與「空」之間，有一片美的天地：「色」而不至於放蕩，「空」而不走向「虛僞」，則類似性心理學上的Chastity，成爲一種和諧自然的美。

Chastity，又多少帶些理想的成份。回到《金瓶梅》，我們看到：好色的，多走向了放蕩，好空的，又多走向虛僞。第七十四回回目是「潘金蓮香腮偎玉，薛姑子佛口談經」，「香腮偎玉」，是金蓮的淫蕩之舉；而「佛口談經」的薛姑子，並非是清心寡欲的尼姑。書中不無諷刺地寫道：「薛姑子有道行，一夜接幾個漢子」（五十一回）。她不僅自己與人通奸，還爲他人通奸提供方便，把一個清靜的庵院，弄成了一個從事淫業的妓院。正是這個薛姑子，時常到西門大宅，爲月娘和衆妻妾宣講佛法因緣、善惡報應。

《金瓶梅》中出現的一些佛門弟子、道家方士，大多好色不好空。八十九回寫一布施的和尚，「一雙賊眼，眼上眼下打量」西門慶家的一位女僕；九十三回寫晏公廟的道士金宗明，與陳敬濟搞同性戀。上編提到的「燒夫靈和尚聽淫聲」，寫一群和尚爲潘金蓮的美貌弄得神魂顚倒、醜態百出，連弔唁武大的念經活動也無法繼續下去了。寫到這裏，作者忍不住站出來發了兩句感慨：「果然佛法能消罪？死者聞之亦慘魂」（第八回）。在世人心目中，佛法是能消罪彌災、懲惡揚善的，而佛法的「懲揚事業」，要靠那些佛門弟子來完成，「打鐵先得本身硬」，佛家弟子理應戒色好空。然而，我們在《金瓶梅》裏所看到的，却是和尚聽淫聲、尼姑接漢子……空門之人不能去色，佛法又如何能消罪？於此，我們看到色與空的深刻矛盾：《金瓶梅》中，不僅塵世間的芸芸衆生，而且僧尼道士，都有些色欲不斷、難入空門，此其一；由於佛徒的好色，而佛法的消罪就成了一大疑問，此其二。

佛法不能消罪，天國的聖水難以洗塵世的泥淖。作者在人物塑造中，眞實地表現了人物性格中世俗之色與宗教之空的內在衝突。如果將放縱情欲視爲一種罪孽的話，那麼，人爲創造出來的、事實上並不存在的天國之空，不僅未能「消罪」，客觀上反而有「開罪」之嫌。從另一個角度論，色，雖然能被人爲地導入空（如《金瓶梅》的藝術構思），但反過來說，空並不能去色（如《金瓶梅》的人物塑造）。色與空的矛盾，從特定角度，反映出放縱情欲與宗教禁欲主義的矛盾，《金瓶梅》對這一矛盾的眞實表現，使我們窺到色的兩面與空的兩面。而色空的立體交叉，又折射出《金瓶梅》的性美學之光。

## 3.「因果循環，讀者自省」

《金瓶梅》作者在處理「色空」關係時，與他處理「德色」關係一樣，陷入矛盾之中：他的創作意圖是要導色入空，化色爲空，將二者統一，而且此意圖已頗爲成功地體現在作品的整體構思之中（如將「吳月娘好佛」作爲全書千里之伏脈）；但是，作品中的主要人物（如西門慶和金、瓶、梅們），卻是只要色不要空，他（她）們性格的主導面是放縱情欲，與「空」的目標可謂南轅北轍。

面對著這一群並無宗教意識的男女，《金瓶梅》的作者還是要固執地將色導入空，還是要一如既往地把「色空統一」的創作意圖貫徹到底。何以見得？——我們看到作者在《金瓶梅》中，開出解決色空矛盾的「良方」：「因果循環，善惡報應」。

作者別無選擇。從根本上說，塵世的肉欲之色，與佛門的無色之空，本身就是無法調和的，作者雖然能借助於小說的藝術構思（亦即借助「月娘好佛」這條線），將色與空拉在一起，但一旦落實於具體的人物塑造，作者就黔驢技窮了。《金瓶梅》到底是一本寫市民生活的大書，打開它，撲面而來的，是刺鼻的塵世間的氣息：酸甜苦辣臭，五味俱全。作者費盡苦心抹上去的幾絲天國之「香」，與西門慶和金、瓶、梅們毫不相干。

爲了將色空統一，作者只好求助西天佛祖和陰司六殿，只好搬來「善惡報應」的法寶。鳥瞰全書，我們看到：《金瓶梅》以第三十九、五十七、七十四、八十八等回的說經、化緣爲線索，以最後一回「普靜師荐拔群冤」爲總結，把全部故事還原爲一場因果報應。細讀章章回回，更不難發現，因果報應之談，幾乎彌漫全書。《金瓶梅》一百首回前詩詞和格言中，竟有三十多首直接以「因果循環」爲主題：什麼「善惡到頭終有報，高飛遠走也難藏」、「功名蓋世，無非大夢一場」等等。再有，寫薛姑子誦金剛科時（五十一回）、吳道官迎殯懸眞時（六十五回）、黃眞人煉度荐亡時（六十六回）、以及五台山行腳僧念詞時（八十八回），更是直接地宣揚善惡報應的色空觀。如果說，上述諸例，多是作者的議論，或者借人物之口來議論；那麼，人物命運或歸宿的安排，則屬於借性格塑造之名，行善惡報應之實。作者幾乎全以善惡報應的宗教邏輯，來演繹他書中人物在塵世間的命運。吳月娘、孟玉樓是戒色崇德的善人，故得善報：月娘高壽，且有一忠誠奴僕（後成爲養子）玳安伴隨終身；玉樓終於找到一位可意郎君，恩愛相伴，不棄不離。西門慶、陳敬濟、潘金蓮、龐春梅，是好色淫蕩，十惡不赦，理所當然受惡報：敬濟與金蓮作刀下之鬼，西門慶與春梅爲色床之尸。而且，報應的等級，視作惡之程度高低，又略有不同：西門、金蓮是首惡，故西門死後還要受「項帶沉枷，腰繫鐵索」之苦，金蓮死後還要暴尸街頭，無人領埋；敬濟、春梅在淫蕩方面是分別傳西門、金蓮之衣鉢，故一死了之，不再另加懲罰。李瓶兒雖然也有淫蕩的劣迹，但生子之後，一變而爲清心寡欲；韓愛姐雖是妓女出身，然一旦鍾情陳敬濟，則之死靡它，因此，對這類迷途知返的好色者，其處罰也是有分寸的：兩人雖然都未得善終（亦即喪命於青春年少之時），但瓶兒死得熱烈而又悲愴，愛姐死得貞節而又正經。

《金瓶梅》中的善惡報應，不僅「愛憎分明、懲罰公平」，視不同人物施之以不同報應，而且報應又有「現報」與「遠報」之別。西門慶死後脫胎孝哥，十年後，孝哥被普靜寺和尚幻化而去；吳月娘七十高壽而善終，等等，這些都是「遠報」。而西門慶死後不久，「老婆帶的東西，嫁人的嫁人，拐帶的拐帶，養漢的養漢，做賊的做賊，都野鷄毛兒零撏了」（九十一回），此乃立竿見影式的「現報」。

遠報也罷，現報也罷，《金瓶梅》一書，「因果循環、善惡報應」的色彩頗爲濃厚。作者的意圖，是要將色空統一，其苦衷不難理解。但作爲對一種消極甚至反動的宗教觀和哲學觀的圖解，這些「善惡報應」的藝術處理，無疑大大損傷了作品在色空論方面的美學價值，至少也是《金瓶梅》美學思想的一大侷限。

《紅樓夢》也寫了色空，也寫了善惡報應，與《金瓶梅》雖有些淵源關係，但二者又有較大的區別。關於這兩部作品的瓜葛，不少學者都有論述，或贊《紅樓夢》「本脫胎於《金瓶梅》，……非特青出於藍，直是蟬蛻於穢」（諸聯《紅樓評夢》），或視《紅樓夢》爲「暗《金瓶梅》，故曰意淫」（張新之《妙復軒評石頭記》），或乾脆稱《紅樓夢》「乃《金瓶梅》之倒影」（《小說叢話》曼殊語）⑦，等等，這些見解，都有助於我們理解兩本書「色空觀」的異同之處。

就人物的結局和小說的結尾而論，《金瓶梅》和《紅樓夢》都是以空爲歸宿，但由色入空的途徑却大不一樣：《金瓶梅》的作者爲了懲罰好色者，而人爲地將他們的命運導入空，而且還幾經曲折（如西門慶經由「脫胎孝哥」才「幻化爲明悟」），至於人物本身，並無多少色空的觀念；《紅樓夢》的人物，則是在歷經悲歡離合、飽嘗淒風苦雨之後，自己悟出了「空」的道理。如賈寶玉，看透了塵世的虛僞，厭倦了人間的功祿，自覺走出污濁不堪的人世，而皈依佛祖，步入空門。對於人物性格（尤其是性格中的性心理內涵）來說，這種「自色悟空」（《紅樓夢》第一回），是一種淨化和昇華。在此意義上，《紅樓夢》之於《金瓶梅》，的確是「蟬蛻於穢」。

《紅樓夢》和《金瓶梅》都不同程度地宣揚了色空觀，但是，《金瓶梅》主要通過回首詩或格言，通過僧人尼姑的「佛口說經」這些外在於作品的方式來進行說教，比如五十一回薛姑子的唱詞，歷數人世的種種榮枯悲歡，宣揚了人生無常、萬境歸空的情調；而《紅樓夢》則把這種觀念熔鑄到人物形象之中，成爲他們複雜性格的組成部份。前者明顯直露，後者含蓄委婉；前者生硬做作，後者自然流暢。《紅樓夢》是《金瓶梅》的「倒影」，在色空的範圍內看，這個「倒影」撲朔迷離、朦朧飄逸。而造成「倒影效果」的，正是《紅樓夢》熔色空觀於人物性格之中的藝術手法。

兩部小說，不僅導色入空和表現色空的方式各異，而且「色」本身也有差異。《金瓶梅》的色，雖然也有情的因素，但主導面是感官肉欲，是對情欲的放縱；而《紅樓夢》的色，是意淫，是「天分中生成一段癡情」，它「惟心會而不可口傳，可神通而不可語達」⑧。這種意淫，較之那種「調笑無厭，雲雨無時，恨不能盡天下之美女供我片時之趣興」的「皮膚淫濫」之肉欲⑨，無疑更具有性美學的價值和性藝術的魅力。藝術需要的是含蓄，需要的是以情感人，而非直露，非說教。《金瓶梅》的色空雖也有情，但遠不及說教之理的份量重，而且常常被淡化於說教之中。《紅樓夢》則寓深情於意淫，所謂「由色生情，傳情入色」⑩，「知情更淫」⑪。大約因了《紅樓夢》意淫的含蓄朦朧之美，所以才被稱爲「暗《金瓶梅》」，一個「暗」字，既道出《紅樓夢》之長，又道出《金瓶梅》之短。

當然，兩部小說色空觀的差別，除了作者審美趣味的高低之外，還有一個客觀原因：作品所塑造的人物，其身份、性格、情趣大不相同。《金瓶梅》寫的是清河縣的市井之人；而《紅樓夢》寫的是大觀園的貴族青年。因此，就其「色」而論，一偏重於感官肉體，一偏重於精神心靈；就其「空」而論，一靠作者硬性導入，一是人物自己悟出。——二者雖有高低之別、雅俗之分，但畢竟都符合各自人物的特定身份，其藝術眞實性又難分軒輊。

## 【附　註】

① 見胡文彬等選編《論金瓶梅》第一二八頁。
② 《金瓶梅讀法二十六》。
③ 同註②。

④ 同註②。

⑤ 嚴羽《滄浪詩話》。

⑥《張竹坡評點金瓶梅》第一百回回評。

⑦ 同註①，第二七一頁。

⑧ 見《紅樓夢》第五回。

⑨ 同註⑧。

⑩《紅樓夢》第一回。

⑪ 同註⑧。

# 第九章　美醜論

我們已經描繪了《金瓶梅》性美學之實現的兩條途徑：一是情化，一是空化。情化和空化，實質上是性的藝術化，是將性昇華爲藝術，昇華爲美。換一個角度看，被昇華或藝術化了的性，已經發生了質的變異，肉體或感性的誘惑、激蕩，經由作者的審美創造和藝術加工，便慢慢地變異爲情感的熾熱和心靈的顫慄，於是，我們在《金瓶梅》中看到好色者的深情，看到天國的純淨……

然而，這已經不是性本身了。性自身，仍舊是淫蕩？是罪衍？是萬惡之首？這似乎是一個不須爭辯也不容爭辯的問題。肯定的或否定的回答，都是那麼容易作出，人類對性美學乃至對整個性科學的看法，常常在這「然否」之間大幅度地搖擺。於是，失去了平衡，失去了理性（或者理性過甚），失去了科學態度和求實精神。

研究性美學，不能不暫時忘却那些「然否」的思維定勢，也不能不從性的自身和本體出發。

## 1.「美的觀念植根於性的激蕩」

英國作家勞倫斯在《查太萊夫人的情人》中，用詩人的激情和詩的語言描繪男女主人公的性行爲，使讀者從性本身發現美、欣賞美——勞倫斯的藝術實踐及其成果，已成爲性美學的範例。一般認爲，《金瓶梅》的性描寫文字是淫穢不堪的。從整體上看，的確如此；但這並不排除某些地方寫得「但見其風騷不見其穢，可謂化腐臭爲神奇矣」①。與勞倫斯一樣，《金瓶梅》作者有時也用詩人的激情和詩的語言描寫性行爲，比如這一首：

楊柳腰脈脈春濃，
櫻桃口微微氣喘，
星眼朦朧細細汗流香百顆，
酥胸蕩漾涓涓露滴牡丹心……（四回）

如果我們不從字裏行間去著意地覓淫，應該承認，這段描寫多少有些詩意，有些美的味道。王實甫的《西廂記》裏，有一首詞與此頗爲相似（二者是否有淵源關係，不得而知），它寫張生初和鶯鶯定情：

軟玉溫香抱滿懷，

春至人間花弄色，

露滴牡丹開。

朱光潛先生說「這其實只是說交媾，……但是王實甫把這種淫穢的事迹寫在很幽美的意象裏面，再以音調很和諧的詞句表現出來，於是我們的意識遂被這種美妙的形象和聲音占住，不想到其他的事。自然也有人讀這幾句詞因而動淫欲的，這是由於他們自己的藝術的趣味薄弱，錯處並不在於王實甫。」「淫穢的事迹寫在很幽美的意象裏面」，作爲性與美之關係的一個側面，在《金瓶梅》中雖有所表現，但並不突出，充其量只是一種表面現象。淫穢的事迹，多表現爲直露赤裸的陳述，這才是《金瓶梅》性描寫的主要特點。從《金瓶梅》的性描寫中，我們發現得更多的，並非「幽美的意象」，而是性的激蕩、色的挑逗，所謂「千般旖旎」，「萬種妖嬈」（四回），「心中翕翕然，暢美不可言」（七十三回）……

如何看待這種「性的激蕩」？它從讀者性心理中所引發出的，是穢褻的情緒，還是審美（或審醜）的愉悅？作爲作者的性心理，它包含的是肉的欲望，還是美的觀念？——對於這些問題，作簡單的「是」或「否」的回答，雖然省事，却是不負責任，也無助於理論探討的。

從藝術史的角度看，人類較早的「性的激蕩」，表現在古希臘的裸體雕塑之中。對肉體的贊美，不僅是古希臘的一種社會習慣，更是一種包含著智性和思想根源的審美觀念。雕塑家由性的激蕩而產生出審美創造的强烈欲望，當他們將這種欲望化爲人體（主要是裸體）雕塑時，贊美肉體的藝術品又引發欣賞者性的激蕩。無論是藝術家，還是欣賞者，他們的「性的激蕩」之中，都是既有生理或感性的成份，又有審美或智性的因素。人類第一次從人自身（人的形體和運動）發現了美，發現了藝術，而這種發現，從起因到結果的全部過程，都與性密切相關。

隨著「文明」的發展，人類的「羞恥心」也發展了，肉體的贊美成爲淫穢，裸體藝術成爲色情。一班「給人穿褲子的畫家」，拿著教會的賞銀，在米開朗基羅《最後的審判》耶穌和聖母的裸體上，畫上了「遮羞」的布條。「布條」又慢慢「進化」爲繩索，束縛乃至窒息藝術家和欣賞者性的激蕩。「布條」和「繩索」無疑是藝術發展的障礙，但它們又可能以一種反射力刺激藝術的發展（例如中世紀基督教的禁欲反倒催生出文藝復興時代的文學）。同樣，羞恥心的發達，對於人類的審美意識，也有一種反射作用。「遮蔽軀體的衣物，隨文明而進展，意在不斷地激惹性的好奇心理，也使性對象能以裸露身體來吸引異性」③。「性的好奇心理」，與「性的激蕩」一樣，不僅是生理的，也是審美的：「如果我們的興趣從性器轉向全身的體態，這種好奇的心理便是藝術性的」④。原因何在呢？因爲「看別人袒裼裸裎的情形，大多數人多少都有一些；誠然，它使人們能夠將其部分原欲投注到高級的藝術興趣上面」⑤。

弗洛伊德從性心理與視覺之關係的角度，探討「性的好奇心理」與「藝術性」的內在聯繫，其探討的結論是：

我堅決認爲，「美」的觀念植根於性的激蕩，其原義乃是「能激惹性感者」。（德文中Reiz一字兼含二義，在專門用語裏，有「刺激」之意，而在日常用語裏，則與英文裏的 charm〈迷人〉、attraction〈誘惑性〉⑥相當。）⑦

從心理效應上看，美，也是一種刺激，美之「魅力」，也就是一種「迷人」的「誘惑性」和「吸引力」。「美的享受具有一種感情的、特殊的、溫和的陶醉性質……對美的愛，好像是被抑制的衝動的最完美的例證。『美』和『魅力』是性對象的最原始的特徵。」⑧

既然在性對象中，存在著「美」和「魅力」，那麼，性的激蕩，作爲作家性心理的內蘊，就成爲審美創造的深潛動機或內驅力，就成爲作品美之觀念的根蒂。反過來，讀者在作品欣賞中，在由此而產生的性的激蕩中，則不難感受作品本身的美感力量和作者的審美理想。張竹坡曾反複告誡《金瓶梅》的欣賞者：「如零星看，便止看其淫處也，故必盡數日之間，一氣看完，方知作者起伏層次，貫通氣脈，爲一線穿下來也。」⑨這好比欣賞裸體藝術品，若眼光只盯住性器官，則難免獲得色情甚至淫蕩的印象；若將「興趣從性器轉向全身的體態」，則不難得到美的激蕩和享受。欣賞《金瓶梅》也只有將目光從那些淫處（露骨的性描寫）轉向作品「全身的體態」（藝術構思、人物塑造等等），才會於「性的激蕩」中，發現作品美的魅力，也才會反過來於美的魅力中，感受到作者「性的激蕩」，把握作者審美情感的性心理內蘊或根蒂。

一般而論，文學作品是創作者心理的藝術化和審美化。而《金瓶梅》這部大膽描寫性現象和性意識的長篇小說，則可以說是作者性心理的藝術化和審美化。儘管《金瓶梅》有著這樣或那樣的缺陷，如封建意識、輪回觀念、粗俗不堪的性描寫等等。但從整體上看，她仍然是一部有著審美價值的藝術作品，而她的審美價值又與性的基因密不可分。如果去掉那些性心理、性意識、性關係、性行爲的文字，《金瓶梅》特有的美學價值便不復存在，而且說到底，《金瓶梅》也不復存在。就說那些描寫性行爲的文字，不少人都認爲去掉它們，並不影響小說的價值。誠然，「潔本」《金瓶梅》也不乏藝術性和審美感，但那是別一種美、別一種魅力，與《金瓶梅》的本來面目不甚相干。不妨作一個心理測試，突然向被試提起《金瓶梅》，然後問他們聽到這個話題後，首先想到什麼，恐怕大多數被試最初或最主要的反映都可能是想到《金瓶梅》的性描寫。可以這樣說：沒有性的描寫，也就沒有了《金瓶梅》；離開「性的激蕩」這一話題，《金瓶梅》的美和魅力便無從談起。說到底，在作者的心靈深處，倘若沒有「性的激蕩」，他也就不會「於愛河中搗此一篇鬼話」，我們也就無緣與《金瓶梅》相識了。這正如：莎士比亞若未失戀於菲東女士（Mary Fitton），便不會創造出阿菲利亞（Ophelia）這個角色；屠格涅夫若未迷戀一位歌女，便不會寫出許多熱情女子以及她們的戀愛故事。

「美的觀念植根於性的激蕩」，實則有兩方面的含意：對於作家來說，性的激蕩，成爲他審美創造的原動力或情感激素；對於讀者來說，性的激蕩，又成爲審美感受的重要組成部分。在創作者和接受者這兩個方向，性的激蕩都可以指向美——這正是出發於（或植根於）性本身的美學（亦即性美學）。

然而，性的激蕩也有別一種指向：它並不指向美，而是指向醜。如何看待性的激蕩以及性本身醜的一面呢？

## 2.「醜就在美的旁邊」

廿公在《金瓶梅跋》中，別具慧眼地指出：《金瓶梅》是「曲盡人間醜態」，作者著斯書，對當時社會生活中各種醜惡現象「蓋有所刺」，因而這部小說的社會價值可謂「功德無量」。作品「所刺」的「醜態」，幾乎涉及了明代社會的各個方面、各個層次：從朝廷要員，到縣邑小吏；從僧侶尼道，到市井鄉民；從商鋪牙行，到茶肆酒館；從家庭宅院，到賣笑春樓……各色人物，在各色場合，盡情表演。

值得指出的是，《金瓶梅》所「曲盡」的「人間醜態」，盡管形形色色，百怪千奇，但十之八九，都與性有關，都與性的激蕩有關。本書的上編和中編，已不同程度地、或間接或直接地談到《金瓶梅》與性相關的醜。於此，我們從三個方面對《金瓶梅》的性之醜，作系統的小結。

第一，「性目的」之醜。我們曾指出，人類性目的，以生育和快樂爲正途，若二者之中又包含愛情的成份，則美的價值更高。《金瓶梅》中的人物，雖然也有以生育、快樂、甚至愛情爲性目的的，但書中主要人物，以及書中諸多人物之性心理的主要方面，其性目的多呈醜態。如宋蕙蓮、王六兒、林太太等人因色求財，西門慶將納妾作爲招財進寶的手段，韓道國爲了錢財而支持妻子賣淫，等等，都使得性的行爲，散發出令人噁心的銅臭味，並從財色的角度，暴露出那個社會的腐朽和墮落。又如，西門慶將性行爲當作報復、虐待女性的手段，潘金蓮用性行爲來要挾、鉗制男性，都見出這兩個惡人的劣性與醜行；還如，西門慶施「美人計」，向蔡御史送「兩個唱的」，爲朝廷蔡太師的親信翟管家尋覓小妾，將女性作爲他巴結權貴、謀取私利的工具，這不僅是西門慶個人的「醜」，更是整個社會的「醜」。即便是從古至今被視爲正途的性目的，在《金瓶梅》中，也常常演變爲醜惡。如「傳宗接代」之目的，本來無可非議，但在私有制的封建社會，它從根本上說，是延誤丈夫的財產和孝悌，因而在西門大宅這個妻妾成群的家庭中，誰能傳種，誰就享有特權，因此，圍繞生育之事，眾妻妾明爭暗鬥，以至釀成金蓮害死官哥兒的慘禍。另外，「眞個銷魂」的目的，也被那群色情狂發展到極端，而成爲瘋狂和病態。

第二，「性方式」之醜。魯迅先生《中國小說史略》指出《金瓶梅》「至於末流，則著意所寫，專在性交，又越常情，如有狂疾」。《金瓶梅》的性交接方式，多呈變態性，雖然從性心理角度論，這種「方式的變態」，自有其生理和心理的緣由，但以性美學的目光看，它們畢竟是一種醜。如中編談到：西門慶常使用「笞打淫亂」和「懸股淫亂」，無疑是對異性的肉體折磨和精神摧殘；又如潘金蓮爲了滿足一己之瘋狂的性欲望，强行給爛醉不醒的西門慶灌胡僧藥，致使西門慶喪命，七十九回眉評曰：「此藥較武大藥所差幾何？此吃法與武大吃法所差幾何？」可以說，爲了性的淫亂和放縱，潘金蓮不僅毒死了武大，而且害死了西門慶。西門慶是否罪該一死姑且不論；潘金蓮爲了病態的性交接而不惜殘害乃至殺戮他人，則無論從哪個角度講，都是一種醜惡。

第三，「性僞善」之醜。放縱情欲者，有時還有些性的虛僞，性的假仁假義。六十九回寫西門慶「招宣府初調林太太」，二人相見，本是爲了性的交接，却偏偏談起「教育子女」的正經話題。林太太說她兒子被奸詐不良之人引誘，整日在外嫖娼酗酒，她請求西門慶處罰那些教唆犯，挽救她失足的兒子。書中寫道：

> 西門慶說：「令郎既入武學，正當功名，承其祖武，不意聽信游食所哄，留連花酒，實出少年所爲……」說話之間，彼此眉目顧盼留情。……

這一對男女，一面大談如何告誡子女不要「留連花酒」，一面「顧盼留情」，大肆通奸。《金瓶梅》作者不動聲色地勾畫出西門慶和林太太虛假僞善的嘴臉。四十九回寫西門慶爲了制取鹽引，壟斷食鹽專賣權，而賄賂蔡御史，酒宴之後，送給蔡兩個歌妓：

> 蔡御史看見，欲進不能，欲退不捨，便說道：「四泉，你何如這等厚愛？恐使不得。」西門慶笑道：「與昔日東山之游，又何異乎？」蔡御史道：「恐我不如安石之才，而君有王右軍之高致矣。」……因進入軒內。

明明是色鬼酒徒，偏裝得文雅高致；一腦子男盜女娼，滿口裏却是仁義道德。社會的僞善，造就了人的僞善；而人的僞善，反過來又加劇了社會的僞善。

《金瓶梅》與性相關的「醜」，有著「美」的內涵。作者眞實地描寫那個社會的黑暗、官場的腐敗、商場的欺詐、情場的放蕩，描寫各色人物性目的的骯髒、性方式的病態、性關係的虛僞，無疑具有較高的審美認識和審美教育的價値，因爲這些赤裸裸的文字，有助於我們去認識那個社會的醜惡，去認識那個時代注定走向衰亡的必然性。尤其是書中具有典型意義的「醜類」人物，對於欣賞者的審美教育來說，是不可多得的反面教員。

愛和恨在同一深度，是同一事物的兩個方面。作者以批判現實的方式「曲盡人間醜態」，對書中人物性行爲和性意識方面的醜陋表現出憤慨，這本身就包含著對美的追求，對一種正常的、和諧自然的性生活的嚮往。張竹坡說「《金瓶梅》到底有一種憤懣的氣象」⑩，而「憤懣的氣象」之深處，則是作者對一種更符合人性、更具美學意味之性生活的嚮往和深情。

在文學作品中，醜和美往往是相輔相存，相對而成立的。鞭笞性目的之醜，實則是贊賞那種包含著愛情之美的性目的；描繪性方式之醜，表明作者的理想是追求既不乏激情而不失之變態的交接方式；揭露性的虛僞，顯然是通過對僞善的批判而肯定性的眞誠、坦率。從上引兩段關於「性僞善」的維妙維肖的文字中，我們便不難見出作者醜醜美美的一片苦心。

十九世紀法國作家雨果爲自己的劇本《克倫威爾》寫序，指出「醜就在美的旁邊」；十九世紀俄羅斯作家果戈理寫了一部《欽差大臣》的戲，台上盡是些「醜類」，看了果戈理的《欽差大臣》，看了那些沙皇時代大小官吏的醜惡表演，觀衆們不僅認識到那個時代和社會的腐敗黑暗，而且還能從台上人物的種種醜行中，看出自身性格和心理上的弱點，亦即在深刻認識作品所反映的社會和所描寫的人物的同時，還能以作品爲鏡子，重新認識自我。正如《欽差大臣》的最後一句台詞所說：「你們笑什麼？笑你們自己！」觀衆在「笑台上的人物」和「笑自己」的時候，於潛移默化中受到美的教育；觀衆在醜的旁邊看到了美，在審醜之中獲得審美的藝術感受。所謂「醜」，是作品所描繪所表現的人物及其時代之醜；而醜旁邊的美，則是這種描繪或表現中所包容所體現的作者的審美理想。這是一個曲折而又複雜的過程，「文學家們不得不受制於某些條件；他們在影響讀者情緒的同時，還必須挑起智性的與美學的快感。因此他們不能直言不諱」⑪。爲了「挑起智性與美學的快感」，作家們通過寫醜來表現美，這是主觀上的原因；從客觀上看，醜，也是一種社會現象，《金瓶梅》所表現的與性相關的種種醜態醜行，是那個黑暗社會的客觀存在，「作者之於世情，蓋誠極洞達」，所以不得不「描寫世情，盡其情僞」，「或刻露而盡相，或幽伏而含譏」⑫，發憤著書，因情生文，「作穢言以洩其憤」，在對醜的無情批判中，展示美的觀念和理想。

## 3. 性美學的 Chastity 境界

中編已談到：Chastity是靄理士《性心理學》的一個專用名詞，意指那種以忠貞純潔之愛情爲基礎的自然和諧而又有所節制的性生活。潘光旦先生譯爲「貞節」，雖然使Chastity有些中國化，但嚴格地說，並未譯出Chastity的眞諦，何況，貞節的封建禮教色彩又太濃。因此，我們乾脆直接使用原詞，如同我們在中編所做的那樣。

本編的一、二章，論述了《金瓶梅》創造性美學的兩大藝術手段：情化和空化，而情化和空化的共同特徵，便是將性Chastity化。「情色」，實際上也是一種平衡狀態，是色與情之間的平衡。無情之色，是皮肉濫淫，是純感性的，甚至是動物性的洩欲。我們說西門慶、潘金蓮、陳敬濟、龐春梅等人淫蕩、放縱、醜惡、卑鄙，很大程度上是指他（她）們性的行爲中全然沒有情感的內涵，而以肉的刺激爲全部內容，並且將這種刺激導入極端。如何使性生活中多一些情感內涵，這當然是一個極其複雜的性心理學和性美學課題；但從《金瓶梅》的性描寫中可以看到，自覺的或被迫的性的阻礙或節制，在客觀上能增加性生活中情的份量。李瓶兒因病重而失去性的能力，西門慶對她的情感反倒與日俱增；換言之，當西門慶以他特有的方式（號淘痛哭、暴跳如雷、發誓賭咒、抱尸大慟等等）傾瀉情感時，雖然也有一些性的因素，但主導面則是對瓶兒的愛戀。而瓶兒死後，西門慶在聽戲、吃菜、給玉樓上壽時，戀瓶兒而灑淚，並且長期在西門大宅內保存一個「瓶兒世界」，也是沒有多少性成份的情與愛。當然，所謂「節欲」，對西門慶來說，是被迫的，所以他的「入情」則有些勉强，有時甚至不乏做作、誇張。因此表現在西門慶身上的「情色」，其美學意味並不典型。嚴格地說，情色論方面的平衡狀態，只是《金瓶梅》的一種理想，一種審美理想。《金瓶梅》中的人物，徘徊於情與色之間，而最終大多走向色，走向「色情」，沒有也不可能走向「情色」之美的境界：Chastity。這又使我們從反面見到Chastity的美學價值。

同樣，《金瓶梅》的人物在色與空之間徘徊時，他們選擇的大多也是色，而非空，只不過，作者一廂情願地將他們引入空。色與空之間，也有它們的平衡狀態：墮入空門而與色絕緣，則成了宗教的禁欲主義，是違反人性的，故無美可言。用天國的聖水蕩滌塵世的污濁，作爲一種藝術理想尙無可非議，而在嚴酷的現實中，「無邊」的佛法，並未能消彌塵世之罪孽，而佛家的禁欲，扼制人的自然情欲，反倒衍爲新的罪孽。《金瓶梅》的色空論，其審美價值主要不在於她的導色入空，而在於她客觀上暴露了宗教的虛僞和冷酷。再則，寫佛門僧尼象市井之徒那般好色淫蕩，雖有反叛禁欲主義束縛的一面，但也有失去色空平衡而遠離Chastity的另一面。性的美學價值，既存在於對宗教虛僞的揭露和對禁欲戒律的反叛，更表現爲色空的平衡狀態：亦即用一種超然的、非世俗的、藝術的態度去對待性生活，從而使尋常的性生活帶上不尋常的美的意味。

在情與色、色與空之間，都客觀存在著一個Chastity境界，可以說，這是性美學的最佳境界。雖然《金瓶梅》的人物塑造和情節描繪還未進入這一境界，但是在《金瓶梅》的創作意圖和藝術構思之中，則或多或少有些Chastity因素。

作爲一種最佳境界，Chastity不僅是性美學的理想，而且可以推而廣之，成爲性社會學和性心理學的理想。性社會學的倫理形態，表現爲德色論，而在德與色之間，同樣有一個平衡狀態。從整體上說，儒家倫理是禁欲主義的，但早期儒家却主張性的中和，即對自然的情欲，取一種中和的「節」的原則。這既不同於道家（如老、莊）的寡欲，也不同於佛家的禁欲，更不同於宋明道學家（如二程、朱熹）的「存天理滅人欲」，當然，也不同於魏晉楊朱之學的縱欲。平心而論，早期儒家的中和論，是介於「禁」與「縱」之間的一種平衡狀態，是一種Chastity境界。結合《金瓶梅》的德色論來看，偏向「德」，則衍爲禁欲，以禮教的軟刀子殺人，早已爲人們所痛恨；但偏向「色」，則泛濫爲縱欲，以性的放縱和淫亂毒害社會並戕賊生命，同樣爲人們所不齒。《金瓶梅》客觀地描寫了「色」，描寫了性的放縱和淫亂；而主觀上又想以禮教之德來約束、節制這種放蕩，其一片苦心，並無可非議，雖然有封建思想的侷限，但作爲對縱與禁之間的平衡狀態的追求，本身也是一種審美的活動。

性的倫理觀，其心理基因，爲性感過敏。倫理意義上的縱與禁的態度，其心理根源，是對性行爲的好與惡。因此，德與色的平衡狀態，表現在性心理層次，就是好與惡的平衡心態，也就是我們在中編所論述的，由性感過敏的兩端所導致的新的一致：Chastity。

於是，我們這本書的三編，亦即《金瓶梅》性學的三個側面，有了一個共同點。性社會學倫理形態的禁欲與縱欲，性心理學過敏狀態的喜愛與厭惡，性美學的情感內涵與肉欲外觀、天國意境與塵世欲念，都在Chastity境界找到了它們的平衡點，都從各自的領域出發，經由藝術的陶冶，而進入美的境界。

通過對《金瓶梅》性學的研究，而將其各自獨立又相互聯繫的三個領域，統一於性美學的Chastity狀態，不僅揭示出《金瓶梅》自身的性科學和性藝術價值，而且對於我們今天的性學研究和文學創作有著較大的借鑒意義。

文學是人學，而人不能沒有性（性的意識與性的行爲），所以文學之中有性的內涵乃至性的描寫，是理所當然，也是在所難免。「文革」之中，性成爲文學乃至成爲一切科學的禁區。八十年代，性的禁區開始被衝破，文學開始寫性，各門學科開始從各自的角度研究性，性科學有了一個良好的開端。然而，在禁與縱之間，並沒有一道萬里長城，由於多少年的禁欲，由於人們對性的飢渴和愚昧，性的禁區一旦打開，禁欲迅即變爲縱欲，毫無情感內涵和審美趣味的性作品紛紛出籠。粗製濫造、胡編亂寫、庸俗低級的文字，跟在扭捏作態、醜陋不堪的裸體封面之後，招搖過市，「繁榮」著書攤，污染著環境，毒害著千百萬涉世不深的青少年。於是，全社會不得不大張旗鼓地一次又一次地「掃黃」，以清除精神垃圾，治理社會環境，淨化人文空氣。

色情文學在當代中國的泛濫，自有其複雜的社會原因。從性科學的角度論，整個社會未能夠在禁欲與縱欲、愛好與厭惡、情感與肉欲之間，找到一個平衡點，未能將性科學與性文學導入Chastity境界，無疑是一個極其重要的原因。掃黃是必要的。任何社會任何時代都不能允許色情文學泛濫，都不能允許性的放縱破壞人們和諧正常的生活與清新健康的環境。同時，對性的研究也是必要的。只有從理論的高度，把握性的實質，明瞭人類性生活與性意識的眞諦，只有在科學研究的基礎上，對整個民族進行必要的性教育，才有可能創造出性美學的Chastity境界，同時也有助於對色情文學的批判和掃蕩。

本編引言談到文學作品中「色情性」與「藝術性」的區別，談到「色情文學」的定義。社會以强制性手段杜絕色情文學的產生，以疏導方式使文學作品減少色情性，增加藝術性，與我們在性學研究中追求Chastity境界，其根本目標是一致的。性美學的任何，就是要在性的領域，將各種極端，導向自然而和諧的平衡，創造一個美的具有藝術味道的境界。《金瓶梅》誕生於那樣一個黑暗腐朽的時代，自然不可能完成這一任務，但她卻給予我們深刻的啓示，提供了大量歷史的、藝術的和思想的資料。對於我們今天的性美學乃至整個性科學的研究，對於人類今天乃至明天的性生活和性意識的發展進化，《金瓶梅》都是「功德無量」的。

【附註】

①《張竹坡評點金瓶梅》第二十八回回批。
②見《朱光潛美學文集》第一卷第三二頁，上海文藝出版社一九八二年版。
③見弗洛伊德《愛情心理學》第三五頁。
④同註③。
⑤同註③，第三六頁。
⑥charm還可譯爲「魅力」；attraction又可譯爲「吸引力」——筆者注。
⑦同註③，第五三頁。
⑧見《弗洛伊德論美文選》第一七二頁，知識出版社一九八七年版。
⑨《金瓶梅讀法五十二》。

⑩《金瓶梅讀法七十七》。

⑪同註③，第一二一頁。

⑫魯迅《中國小說史略·明之人情小說》。

# 後記

寫這本小冊子，大約花了四十多天；將它變成印刷符號，卻用了整整四年。

一九八八年秋，我在四川大學攻讀博士學位，認識了成都某出版社的一位編輯，閒聊中談到這個選題。對方很感興趣，囑我馬上動筆。寫成後，他大爲讚賞，答應以最快的速度出版。誰知後來事情起了變化，據說是他們的主編特別討厭弗洛伊德，要我將書稿中關於弗氏的文字統統「消滅」，方有可能pass。由於當時正全力以赴做博士論文，此事便擱下了。

「積壓」的產品，總得想法推銷出去。問了幾家出版社，回答都是：大作的確是很「學術」也很可讀，但眼下掃黃掃得緊，恐怕難得通過。這話雖自相矛盾，但編輯們的苦衷卻不難理解。

去年夏天，供職《海口晚報》的余金彪同學來漢，談起海南大學文學院院長周偉民教授，在臺灣出版了一本學術專著，建議我將此稿給偉民師，請他推薦到海外。偉民師是我在華中師大讀碩士學位時的指導教師，看到拙稿後，給予熱情褒獎，並推薦給臺灣文史哲出版社。沒想到，不到半年，校樣就出來了。倘若不是偉民師大力引薦，這個稿子還不知要在抽屜中沉睡多少年。衷心地感謝偉民師，感謝臺灣文史哲出版社，也感謝金彪同學。

我是治漢魏六朝文論的，受劉勰的影響很深。彥和著《文心雕龍》，基本的方法就是「擘肌分理，惟務折衷」。我將這種「折衷」，拿來批判《金瓶梅》的「色」。《金瓶梅》的作者，要以一本「縱慾」的書，曲達「禁慾」之旨。苦心孤詣，後人誰知？心理學認爲，性，是人的基本焦慮之一。中國人的性心理，總是在「縱」與「禁」之間遢鞦韆，永無止息，難得平衡。我在「瓶」中審「醜」，倡導一種性行爲性意識的Chastity境界。是耶，非耶，讀者諸君自有公論。

記得有一位偉人說過：人類的文明，總會進化到那麼一天：人們可以公開地討論「性」。這些年，大陸學術界，「公開討論『性』（包括《金瓶梅》之性）」的文字，已時有所見。但是，將零星的討論，建構成系統的學問，並且使這「學問」對人們的性意識性行爲有一種指導意義，則有待時日。如何建設有中國特色的「性科學」，這倒是可以寫一部大書。

偉民師於百忙中爲拙著賜序，學生不勝感激。

李建中　一九九二年孟夏於武昌晒湖心遠齋